JABONES NATURALES

Para elaborar jabones a base de hierbas aromáticas y otros vegetales

Susan Miller Cavitch

JABONES NATURALES

Para elaborar jabones a base
de hierbas aromáticas y otros vegetales

Susan Miller Cavitch

EDITORIAL ALBATROS

Título original: The natural soap book
ilustraciones de tapa e internas: © John Nelson / Representado por Irmeli Holmberg
Dibujo de líneas: Brigita Fuhrmann

The natural soap book, published by Storey Communications, Inc., Pownal, VT, USA.

Para esta edición

Diseño: María Laura Martínez
Traducción: Silvina Merlos

I.S.B.N. 950-24-0761-X

Se ha hecho el depósito que marca la ley 11.723

Hipólito Yrigoyen 3920, Buenos Aires, República Argentina

Búsquenos en la Word Wide Web en
http://www.editores.com/albatros
E MAIL: Albatros@editores.com

CONTENIDOS

"Deja un poco a la Naturaleza: ella sabe lo que hace mejor que nosotros mismos."
Montaigne, *Ensayos*, 1595.

A Matt,
y a Peter, Jenny, Adam y Mary,
mi relación con el Señor y Su Evangelio
y mis mejores dones que de Él he recibido.

Matt, mi esposo, mi cómplice, mi editor y mi escritor preferido.

Peter, quien en el preciso momento de sucumbir, entra en el estudio ofreciendo su ayuda.

Jenny, quien se interesa en todo y por todos, y tiene un entusiasmo contagioso. Tú mantienes mis células vivas.

Adam, el granjero, quien aprecia la Naturaleza y la necesidad de preservar nuestros recursos naturales en forma instintiva. Tu forma de ser tan amable es la que marcará la diferencia.

Mary, mi consuelo humorístico, cuyos abrazos y risa vital mantienen las cosas en perspectiva.

RECONOCIMIENTOS

Quisiera agradecerles a todas aquellas personas que me han sido de gran ayuda sin siquiera saberlo.

A Macky Miller, mi madre, porque siempre ha estado presente para mí.

A Harris Miller, mi padre, porque siempre me ha sabido escuchar y me ha permitido utilizar sus ideas y soluciones, respecto de los jabones y de otras cosas también.

A Steve Miller, mi hermano, que ha escuchado y aceptado hablar sobre la enebrina y manteca de galam cuando tenía otras cosas en qué pensar y siempre se molestó en preguntar por los informes de progresos. Gracias.

A Betsy Cohen, mi hermana, por su sello incondicional de aprobación. Cuando comenzó a pedir reposiciones, supe que iba por el buen camino. Tal vez nadie comparte tanta historia en común como dos hermanas que crecieron con sólo un par de años de diferencia. Ella junto con Steve, siempre pudieron hacerme reír y les agradezco toda esa risa.

A Sylvia Fish, mi abuela, porque ha sido como una segunda madre para mí. Ha alimentado mi vida con una provisión constante de amor y diversión.

A Heidi Hurwitz, mi amiga y confidente, porque me comprende en forma instintiva. Me ha enseñado a través del ejemplo a ir por el buen camino, sin pretensiones. Gracias por pensar en forma creativa en los momentos que yo no me encuentro muy inspirada.

A Gertrude LeVine, mi tía abuela, porque siempre compartió cosas conmigo y yo con ella, como si no existiese diferencia de edad.

A Alfred Weller, mi tío abuelo, porque me albergó debajo de sus alas en mis días de universidad y nunca me echó del nido. Aún hoy hago llamadas de larga distancia al único pediatra en quien confío plenamente.

A Danny Klein, mi tío, quien se ofrece de todo corazón y hace las cosas más agradables.

A Linda Griffith, mi prima, quien se envuelve en colores e inspira a muchos de nosotros a ver el arte en todas las cosas.

A Pernille Våge, un amigo que ha venido del otro lado del océano de la forma menos probable. Gracias por tus diseños e impresiones perdurables.

A Urania Erskine, mi amiga, cuya ayuda y humildad permiten que fluyan grandes obras de ella.

A Sally Whipple, mi amiga, la dama de los bizcochitos. Esta abuelita cuida niños a sus ochenta años e influye a todos sus niños con su fe pura.

A Deborah Balmuth, mi editora en Storey Communications, quien hizo de este libro una obra mejor. Aunque yo resida en Tennessee y Deborah en Vermont, y aunque éramos unas perfectas extrañas hasta no hace mucho tiempo, me he enriquecido durante el corto período que hemos trabajado en equipo. Gracias por tu crítica permanente y profesional sin dejar de ser respetuosa.

A un químico, quien permanecerá anónimo y me ha sido útil y afable desde el primer día, cuyo acento y erudición de Nueva Jersey me han hecho reír a pesar de mis fracasos.

Y a otros tantos que extraño a diario pero que siento cerca de mí: a Mary y Harry Weller, mis bisabuelos, quienes me han mostrado todo lo que necesito saber para apreciar el eterno compañero en cada uno; a Maurice y Freida Miller, mis abuelos, que se tomaban un tiempo para adularnos y cuya política de puertas abiertas me ofreció uno de mis lugares más tranquilos; a mi abuelo, Albert Fish, un verdadero caballero, que logra extraer lo mejor de la gente y no juzga a nadie; y a Marie y Jean Berthelot, quienes me adoptaron como a una hija y me enseñaron a trabajar duro y pusieron canciones de cuna alemanas y francesas dentro de mi cabeza.

PRÓLOGO

En agosto de 1990 visité un lugar turístico en Arkansas, en donde vi cómo una mujer de mediana edad vestida en las ropas típicas de los pioneros, elaboraba jabón en una pava de hierro sobre un hoyo en la tierra. Por tres dólares compré un pan de ese jabón. El pan de jabón tenía sólo doce horas desde su elaboración y estaba húmedo y blando. Lo deslizó dentro de una bolsa de plástico y me dijo que lo dejara reposar por unos días. "Es mejor así". Ésta fue mi iniciación en el mudo de la elaboración de jabón. Estaba cautivada.

En una semana el jabón se había arrugado y habían aparecido pequeños círculos amarronados. Le telefoneé a la mujer y ella me aseguró: "Ah querida, está bien. Así es como debe verse".

Me ha tomado tres años saber todo lo que he aprendido hasta ahora. Aunque estoy lejos de ser un gran experta en la elaboración de jabones, he aprendido que la fabricación de jabones no tiene por qué finalizarla el cliente. También aprendí que los jabones a base de vegetales no tienen por qué ser suaves y que existe más de una temperatura correcta para elaborar jabones, que los conservantes pueden no ser artificiales y que el que elabora los jabones no tiene por qué ser químico para comprender lo suficiente y poder interpretar las soluciones. Me ha tomado tres años separar la realidad de la ficción respecto de aquellas personas que elaboran jabones y de sus teorías. Escribo este libro para que el próximo fabricante de jabones pueda ahorrarse algo de tiempo.

A través de este camino he conversado con muchos fabricantes de jabón, varios químicos y con docenas de proveedores. He leído libros tanto acerca de la elaboración de jabones como de química, y las incongruencias entre muchas cosas que he oído o leído me han confundido y frustrado. La mayoría deseaba ayudarme a comprender el proceso de elaboración de jabones, pero otros no, considerando su conocimiento como un secreto industrial. El hecho de proteger la propia actividad comercial o la propia ocupación es legítima, sin lugar a discusión, pero no obstante me irrita. He resuelto desde el comienzo de mis investigaciones sobre la elaboración de jabones que compartiría mis conocimientos, si alguna vez tenía alguno. Este libro está dedicado a esa decisión.

Para interpretar los fundamentos

PARTE 1

INTRODUCCIÓN

El jabón puede elaborarse a partir de grasas y aceites, hidróxido de sodio y agua. La elaboración de los jabones puede ser tan simple como disolver hidróxido de sodio en agua, unir las grasas, agregar la solución de hidróxido de sodio (lejía) a las grasas ya unidas y revolver. Puede complicarse un tanto, pero no tiene por qué hacerlo. Este libro comienza por el principio, asumiendo que el lector no sabe absolutamente nada sobre la elaboración del jabón. Se habla de química, pero en porciones ingeribles y en la medida suficiente como para sentirse bien trabajando en el proceso en cuestión. Yo personalmente he sobrevivido a química en el colegio con la ayuda de un amigo motivado. Soy consciente de que esa clase de amigos y que ese tipo de motivación ya no son tan comunes en mí, así como para mis lectores que ya han pasado la época de la adolescencia. Por eso este libro ha sido escrito con un sentido caritativo para aquel lector que no dispone de un intérprete. Los capítulos están dispuestos de manera tal que llevan al lector paso a paso hasta y más allá del proceso de la elaboración de jabones.

La primera parte lo introduce en seis formas diferentes de clasificación de jabones. La segunda parte describe en detalle los diferentes ingredientes que se necesitan en la elaboración de jabones. La tercera parte explica cómo elaborar el jabón, desde la elección del equipo hasta el método para fraccionar y cortar el producto final.

En la cuarta parte lo llevaré "Más allá de los fundamentos", para fomentar la creatividad respecto de la presentación de los jabones. Asimismo se proporciona un detalle más profundo acerca del aspecto químico de la elaboración del jabón, recordándole al lector que el proceso de elaboración de jabones es más arte que ciencia.

Se encontrarán dispersas a lo largo de la obra las historias de muchos fabricantes de jabones norteamericanos que han tenido éxito comercialmente, quienes comparten sus experiencias y describen su camino a través del proceso de elaboración del jabón.

¿QUÉ ES EL JABÓN?

Desde el punto de vista químico -y que explicaré con más detalle más adelante- el jabón es una sal. Un ácido y un básico reaccionan uno con el otro y se neutralizan formando una sal (o jabón). Este proceso es denominado saponificación; a partir de que el ácido y el básico se ponen en contacto uno con el otro y se produce una reacción, la solución se saponifica, es decir, se hace jabón. Existen varias formas de ácidos y básicos y varias maneras diferentes de hacer jabón. El método se basa en el hidróxido de sodio para la base, otro en carbonato de sodio, y aún un tercero en hidróxido de potasio. Un método utiliza grasas y aceites para el ácido, otro sólo los ácidos grasos puros ya extraídos de la grasa. Uno de los métodos libera glicerina mientras el otro no. Uno implica hacer hervir el jabón en recipientes de uso industrial que pueden contener varios cientos de miles de litros; otro es llevado a cabo en una olla pequeña en la mesada de la cocina.

Todos estos métodos producen jabón, pero la mayoría se encuentra más allá del alcance de este libro y del interés. Los panes de jabón se elaboran en forma casera con grasas y aceites (los ácidos), hidróxido de sodio (los básicos) y agua (el solvente que disuelve los básicos). Se denomina método de procesado en frío al método para elaborar jabones valiéndose de materiales fáciles de conseguir, sin aditivos químicos complejos y utilizando el mero calor de la reacción (sin la necesidad de aplicar calor en forma externa). Este libro trata acerca de la elaboración de jabón de la forma más simple: utilizando grasas y aceites, hidróxido de sodio y el método del procesado en frío.

Jabones ciento por ciento vegetales

Puede utilizarse el mismo método de procesado en frío que se emplea para elaborar jabones a base de productos de procedencia animal (sebo y grasa animal) para elaborar jabones ciento por ciento vegetales. Aunque algunos manuales para la elaboración de jabones incluyen fórmulas vegetales, eluden explicar que la elaboración de jabones vegetales requiere de algunos ajustes.

Mientras que el método básico permanece sin modificación alguna, las pequeñas variaciones en el comportamiento de cada aceite vegetal requieren de una especial atención. Los aceites vegetales no pueden soportar las altas temperaturas que sí soporta el sebo animal, requieren de diferente cantidad de hidróxido de sodio, pueden tardar más tiempo para saponificarse (hacerse jabón), requieren de diferentes conservantes y requieren un estacionamiento diferente de los jabones. Las fórmulas que incluyen sebo vacuno pueden elaborarse a temperaturas mayores. Cuando se hacen jabones vegetales a altas temperaturas, la mezcla se espesa con mayor facilidad, produce un jabón más granulado y se incorpora a los aceites esenciales con dificultad.

Aquella persona que esté interesada en investigar acerca de los jabones a base de sebo y grasa animal tiene a su disposición una gran cantidad de material de lectura. Este libro hace hincapié en los jabones a base de vegetales y sus características y complejidades individuales.

Una vez que comprenda los fundamentos de la química para poder elaborar jabones y sepa qué leyes debe seguir y cuáles no admitir, entonces recién allí podrá comenzar a jugar con las fórmulas. No existe un sólo camino correcto para elaborar jabones, pero yo lo guiaré para que obtenga éxito en esta tarea.

¿DE QUÉ MANERA LIMPIA EL JABÓN?

Antes de concentrarnos en los detalles del proceso de elaboración, vale la pena hacer una pausa por un momento para comprender cómo trabaja el jabón. Para poder limpiar la piel o la tela, debe humedecerse la superficie y colocarse un producto que elimine la suciedad. El jabón hace las dos cosas.

EL DESCUBRIMIENTO DEL JABÓN

La historia contada en Roma en al año 1.000 A.C. acerca del descubrimiento del jabón en el Monte Sapo, se ha repetido con tanta frecuencia que los elementos míticos se han transformado en reales.

La historia cuenta que mujeres enjuagando ropa en el río en la base de este monte, debajo de una elevación más pronunciada en donde se llevaban a cabo sacrificios de animales, notaron que la ropa se limpiaba a medida que se ponía en contacto con un material jabonoso que bajaba del monte y se introducía en el agua. Más tarde descubrieron que esta sustancia que limpiaba se formaba cuando la grasa animal penetraba en los restos vegetales que luego eran absorbidos por el suelo arcilloso.

En forma irónica, el agua sola no humedece del todo bien. Las moléculas de agua se encuentran muy unidas y se resisten en separarse. Se forman gotas sobre la superficie y no se esparcen con facilidad. El jabón actúa como un surfactante, es decir, un agente activo de la superficie, lo que significa que ayuda al agua a que se impregne y no forme gotas. Las moléculas de jabón poseen cabezas que atraen el agua y extremos que la repelen. Al mezclarlas con el agua, estas moléculas de jabón empujan los extremos hidrofóbicos hacia la superficie para alejarse lo más posible. Todos estos extremos introduciéndose en la capa superior, rompen la tensión del agua en la superficie y logran que se esparza y humedezca por completo.

El jabón quita la suciedad y la grasa en dos etapas. Primero se adhiere a la suciedad y luego suspende la suciedad en la espuma hasta que un enjuague los retira a ambos. Más específicamente, una molécula de jabón está formada por una cadena de átomos -entre la que se encuentran átomos de carbono, hidrógeno y oxígeno- distribuida de manera tal que se distingue una cabeza y un extremo. La cabeza atrae el agua, mientras que el extremo atrae la suciedad. La molécula de jabón limpia introduciendo la cabeza en la suciedad y desalojándola, mientras que el extremo la empuja hacia el agua. Entonces el jabón retiene la suciedad en suspensión hasta que se la enjuaga.

CAPÍTULO 1
Los diferentes tipos de jabón

No hace demasiado tiempo, un fragmento de jabón elaborado con la grasa sobrante, o pringue, que goteaba de las comidas del mes era considerado un tesoro. Era altamente cáustico y muy solicitado. Estos panes de grasa animal eran una bendición para aquellos que vivieron durante los siglos XVII y XVIII, pero eran crudos en comparación con lo que hoy en día tenemos a nuestra disposición.

EL JABÓN COMO INDICADOR

El químico alemán Justus von Liebig expresó que puede saberse mucho acerca del estado de una nación midiendo su consumo de jabón. Los países más desarrollados y prósperos, dice, deberían ser los que consumen la mayor cantidad de jabón per capita.

Las opciones son muchas -tal vez demasiadas- y nos simplifica el trabajo si insistimos en saber con exactitud qué usamos en nuestra piel. Durante años, antes de comenzar a elaborar jabones, me fascinaba ver una vitrina con panes de jabón elegantemente envueltos, uno del color de la palta, otro con aroma a gardenias frescas, todos brillosos y suaves como gemas y acomodados sobre los estantes como trozos de cristal. La música clásica que sonaba de fondo era un claro digno de pureza. Hoy en día no me seducen con tanta facilidad.

Las tiendas están repletas de todo tipo de jabones. Podemos pretender jabón líquido para la cocina y jabón en pan para la bañera. Muchos jabones están elaborados a base de grasa animal y otros están fabricados sólo con aceites vegetales. La mayoría de los jabones en pan son fabricados en forma industrial, mientras que algunos son elaborados en la cocina de alguna persona. Algunas de las formas más comunes que vemos son producidas por máquinas costosas. Algunos jabones son detergentes en realidad. De cuando en cuando se encuentran panes de jabón que han sido fabricados sin Agregados de ningún producto químico. Detengámonos en los pros y contras de los jabones que podemos elegir.

Los jabones líquidos frente a los jabones en pan

Los jabones líquidos ofrecen comodidad, limpieza y eficiencia. Requieren de un pequeño esfuerzo para producir espuma, minimizan el contacto de persona a persona y el desperdicio.

Los baños públicos por lo general ofrecen dosificadores de jabón líquido en lugar de jabones en pan, para evitar lavatorios desprolijos, jaboneras húmedas y la diseminación de gérmenes. Los cirujanos utilizan jabón líquido con germicidas para la limpieza dentro del hospital y muchas familias colocan dosificadores decorativos al lado de los lavatorios de baños y fregaderos de cocina para mantener las cosas limpias.

No obstante, toda esta comodidad tiene un precio. Se necesitan muchos más productos químicos para fabricar jabón líquido que para fabricar un pan de jabón. Se agregan determinados productos químicos artificiales para darle al jabón la consistencia correcta y que no obstruya el dosificador. Otros son utilizados para asegurar una cantidad suficiente de espuma para una porción promedio de jabón. Los jabones líquidos son suaves al tacto, huelen a fresco y minimizan la limpieza total, pero deben considerarse sus componentes químicos con sumo cuidado.

Los jabones en pan por lo general contienen tantos productos químicos como el jabón líquido, pero no tienen por qué hacerlo. Este libro trata sobre los jabones en pan sin Agregados de productos químicos artificiales.

Los jabones de origen animal frente a los jabones de origen vegetal

Los jabones elaborados a base de grasa animal contienen sebo o lardo, mientras que los fabricados a base de vegetales son hechos sólo con aceites vegetales. Se utiliza más sebo que cualquier otro elemento en la elaboración del jabón, pero hoy en día se pueden encontrar jabones hechos con cualquier aceite imaginable. Algunos de nosotros tenemos una fuerte tendencia por los jabones de origen animal o vegetal; otros ni siquiera conocen la diferencia.

El sebo proviene de la grasa sólida de la zona de alrededor de los riñones y del lomo del ganado vacuno, lanar y caballar. El lardo es la grasa extraída del cerdo. Ambos fueron utilizados por siglos en la elaboración del jabón, aunque al facilitarse el acceso a los aceites de coco, oliva, palma y otros aceites vegetales finos, los fabricantes de jabones fueron llevados a experimentar con otros tipos de combinaciones. Un aceite puede ofrecer una espuma maravillosa, pero se puede resecar como resultado de su uso frecuente y excesivo. Otro aceite puede producir poca espuma, pero puede crear un jabón muy duro. Hasta se puede obtener un pan de jabón no tan rígido de otro aceite pero que limpie bien.

Un sólo tipo de grasa o un sólo tipo de aceite no logran satisfacer las necesidades; una combinación minuciosa y calculada de grasas y aceites dan lugar a un jabón en pan de calidad superior.

Disponibilidad y costo de los ingredientes

Ya sea que busque sebo, aceite de oliva o aceite de *babaçú*, encontrará un proveedor con la persistencia necesaria. Probablemente encontrará una planta de procesamiento de carnes dentro del radio cercano a su casa en donde le envasen sebo en forma gratuita o a un bajo precio el kilo. Muchos fabricantes o distribuidores de grasas y aceites disponen de sebo y lardo preextraído en baldes de 22 kg, ahorrándoles a los fabricantes de jabón la complicada tarea de extraer el sebo de un líquido inutilizable. Esto es más costoso pero conviene más. Extraer el sebo en casa es un proceso demasiado complicado y largo.

Las grasas vegetales y los aceites pueden ser más costosos que el sebo o el lardo, pero su calidad da lugar a un producto superior para el cuidado de la piel. Y si se compran los aceites vegetales en cantidad en tambores de 220 litros o hasta en baldes de 22 kg, resulta más asequible que comprar las botellas de aceite decoradas que se consiguen en los supermercados. Los aceites que se utilizan por lo general en muchas industrias como el de oliva, se consiguen con mayor facilidad y son más económicos que los no tan conocidos.

Los proveedores de restaurantes ofrecen muchos de los aceites comestibles en cantidad. las panaderías y sus proveedores utilizaron aceite de palma durante años antes de que por cuestiones de salubridad respecto de su composición altamente saturada se redujera su uso. En la actualidad el aceite de palma se vende principalmente en camiones a empresas cuya actividad comercial se relaciona con la grasa y el aceite, que luego lo colocan en barriles y baldes y los venden en forma directa a los fabricantes de jabones o distribuidores. Comuníquese con un restaurante italiano y pregúnteles quién les provee el aceite de oliva. Contáctese con restaurantes orientales para averiguar sobre el aceite de maní. El aceite de coco es utilizado en la elaboración de palomitas de maíz, pero evite la variedad de color anaranjado que está coloreado con beta caroteno. También evite los pequeños envases de aceite de coco que son costosos.

Los fabricantes de jabón utilizan con rapidez los baldes de 22 kg o las cajas que les compran a los fabricantes de aceite comestible y a sus distribuidores. Algunos aceites, como el de jojoba, almendra dulce y de ricino, son más costosos al por menor que al por mayor, pero pueden conseguirse botellas de 960 ml y en galones, si no le resulta en barriles. Si prefiere jabones vegetales a los de sebo, vale la pena que se tome su tiempo para rastrear los aceites que desee en la cantidad que pueda llegar a utilizar. Aun las variedades más extrañas pueden conseguirse de una forma o de otra. Siga buscando: no tendrá ningún problema en encontrar una empresa que satisfaga lo que necesite para elaborar jabón.

Efecto en la piel

Demasiadas controversias rodean el uso del sebo (o sus equivalentes artificiales) en los productos para el cuidado de la piel, en especial el jabón. Algunos argumentan que ha limpiado a muchas generaciones sin provocar daño alguno. Otros señalan el sebo como una de las muchas impurezas con las que nos untamos generosamente el rostro. Algunos expertos lo consideran desde otra perspectiva: durante miles de años el sebo que una bendición del cielo que les permitía a las generaciones con menos recursos mantener determinados niveles de sanidad. No obstante, en la actualidad gozamos de mejores alternativas. El sebo es altamente saturado y se piensa que obstruye los poros. También se sabe que causa eczemas en personas de piel más sensible. Además, algunas personas objetan el uso del sebo desde un punto de vista ético, porque no proviene de animales vivos.

La piel funciona de la misma manera que cualquier órgano, liberando el cuerpo de impurezas y absorbiendo la luz y la humedad en forma continua. La piel está siempre preparada para aceptar una variedad de agua y materiales solubles en aceite a través de los poros. Porque al cuerpo entran tanto productos beneficiosos como perjudiciales, debe considerarse con detenimiento qué productos utilizar. La piel actúa como una barrera protectora, aun al repararse de alguna herida, pero cada exposición tóxica daña esta barrera e inhibe la capacidad que posee la piel para funcionar.

La salud general de la piel está relacionada en forma directa con su contenido de humedad es decir, la cantidad de agua que puede retener. Una piel saludable puede "limpiar la casa" en condiciones normales y retener la humedad; pero el calor, el frío, la contaminación, los rayos ultravioletas, los cosméticos artificiales y las dietas sobreprocesadas y con menos valor nutritivo, llevan a la piel más allá de sus propios límites. No puede mantener ese ritmo. Si no se conserva el contenido de humedad de la piel, el desequilibrio provoca que la piel se reseque y que su sistema sea menos eficiente.

Se necesitan productos para el cuidado de la piel que la ayuden a llegar a un equilibrio entre la pérdida y la absorción de humedad, y que a la vez nutra el cuerpo con vitaminas. Tales productos crean un barrera permeable para la piel, atrayendo la humedad y permitiendo su entrada a la vez que previenen la evaporación de la humedad interna.

Tanto el sebo como el lardo pueden obstruir el sistema respiratorio de la piel. Por otro lado, una fina capa de determinados

HISTORIA DE UN FABRICANTE DE JABÓN

Sandie Ledray y Mary McIsaac / Brookside Soap Company

Las mujeres de Brookside Soap Company, Sandie Ledray y Mary Mc Isaac, crean productos para el cuidado del cuerpo a base de hierbas que "maximizan y celebran el poder y la riqueza del reino vegetal, sin explotar a la gente ni el medio ambiente." En vistas de este objetivo, los productos de Brookside no contienen colorantes, ingredientes artificiales ni nada que sea de origen animal. La presentación es mínima y reciclable. La tinta que se utiliza en los envoltorios de los jabones es a base de soja y el pegamento utilizado para sellarlos es de base vegetal. Las hierbas utilizadas en los productos son cultivadas en forma orgánica. Las combinaciones van desde Jabón de Romero & Lavanda , con aceite de pepita de damasco y flores de manzanilla para todo tipo de piel, hasta Jabón de Palta y Caléndula, con manteca de galam, aceites de palta, caléndula y pepita de damasco, raíz de malvavisco y los aceites esenciales de ilang-ilang, clavo de olor, salvia para pieles de normal a seca, y Jabón de Limpieza Profunda para Manos de Canela, con harina de maíz y canela especial para jardineros, cocineros, alfareros y pintores.

-La elaboración de jabones encontró un lugar en mi vida casi por casualidad- dice Sandie-. Al agotar sus ahorros para renovar su casa, Sandie apeló a sus propios recursos y comenzó a hacer tareas de jardinería, a pescar... y a hacer su propio jabón. El primer lote resultó ser una maravilla y no pasó mucho tiempo hasta que comenzó a recibir gente con baldes vacíos y ropa sucia. "A medida que mis amigos se iban de casa llevando un balde de jabón para lavar la ropa, sugerían con frecuencia que considerara vender mi gran jabón", dice Sandie. Llegó un punto en el que no encontró paz hasta que no comenzó a atender las solicitudes de sus amigos. "El jabón para lavar la ropa se transformó en un pan de jabón para baño", cuenta Sandie, "que a su vez se convirtió en un jabón en pan para baño ciento por ciento vegetal, que eventualmente se transformó en una línea de jabones en pan para baño herbal".

Sandie no conocía a ningún fabricante de jabón que le ayudara a perfeccionar su producto. "La alta calidad de nuestro jabón proviene de años de pruebas y muchos errores. Registro cada lote de jabón que elaboro, incluyendo el éxito o el fracaso que obtuve. El fracaso es bueno: se aprende mucho acerca de los materiales y de química a partir de los fracasos!"

Hoy en día, Brookside Soaps son fabricados en una fábrica de 4.500 pies cuadrados que se encuentra en un parque industrial pequeño en Seattle, Washington. Elaboran lotes de 200 kg de jabón en frío, que son fraccionadas con alambres a mano y producen 28 tipos de jabones en pan diferentes, incluyendo ocho Jabones Brookside y muchas marcas exclusivas.

aceites vegetales evita que la humedad interna se evapore con demasiada rapidez, mientras que a su vez permite que la piel libere las toxinas y absorba la humedad del exterior. Para la elaboración de jabones elija aceites teniendo en cuenta esta función. Algunos aceites emolientes que absorben bien la humedad son el de oliva, de ricino, de palta, de jojoba y el de almendra dulce.

Disponibilidad y costo

Los jabones ciento por ciento vegetales no son tan difíciles de conseguir como lo era antes, pero los jabones a base de sebo y los fabricados en forma artificial siguen siendo lo más frecuente. La mayoría de las empresas que fabrican jabones consideran que los jabones en pan ciento por ciento vegetales son prohibitivos a la hora de elaborarlos porque el costo de los aceites vegetales de calidad es mayor que el del sebo. El sebo es relativamente económico y menos temperamental durante el proceso de elaboración, por ello éste es el tipo de grasa que eligen muchos fabricantes de jabón. No obstante, algunas empresas se encuentran realizando pruebas con jabones vegetales y han descubierto que el proceso de fabricación es bastante posible.

Sin embargo, los jabones a base de sebo y los jabones elaborados con productos artificiales abarcan la mayoría de los productos que se encuentran en las farmacias, supermercados y otros comercios. Para conseguir jabones ciento por ciento vegetales, debe buscarse en comercios naturistas, herboristerías, o en comercios de obsequios herbales. Un pan de jabón ciento por ciento vegetal es por lo general más costoso, aunque muchos jabones artificiales o a base de sebo que vienen en presentaciones originales tienen precios similares. Al comprar jabón, asegúrese de saber que está pagando principalmente por los ingredientes del jabón, no por el envase ni la presentación.

Textura y espuma

Muchos factores determinan la capacidad de un jabón para producir espuma y que ésta se mantenga firme a través del uso. Estas propiedades están relacionadas en forma directa con los aceites o grasas que fueron utilizados durante el proceso de elaboración. Cuando más saturada se encuentre la grasa, menos soluble en agua será el jabón, que también significa que la espuma será escasa, aunque durará más tiempo. El sebo vacuno y el lardo de cerdo producen jabones con escasa espuma, mientras que el aceite de coco, con su alta proporción de ácido láurico, ofrece un espuma espesa, aun en agua de mar. Los aceites de oliva, maní y soja producen algo de espuma, pero puede obtenerse una espuma superior sólo cuando se los combina con aceite de coco. Las empresas que fabrican jabones a base de sebo por lo general agregan un 20 por ciento de aceite de coco para lograr una espuma satisfactoria.

Con frecuencia se dice que el sebo produce un jabón mucho más duro que el que podría producir el aceite vegetal y que los jabones más duros duran más y son más económicos. Del sebo se obtiene un producto muy firme, pero los aceites vegetales pueden hacer lo mismo. La combinación de los aceites es fundamental en la elaboración de un jabón vegetal duro. Las proporciones correctas de aceites seleccionados pueden producir un pan de jabón muy duro, uno que no se deshaga en la jabonera y que dure tanto como el jabón de sebo. Una cantidad de aceites vegetales, combinados con cantidades proporcionales de aceite de coco y palma, calculadas con sumo cuidado, da como resultado una textura ideal y un jabón que dura bastante tiempo.

Nuevamente tenga en cuenta que el jabón elaborado en forma industrial es muy diferente de los jabones elaborados en frío, hechos en forma artesanal, sin el agregado de productos artificiales. Los jabones industriales se basan en productos artificiales para lograr características físicas determinadas como lo son la espuma y la textura. La mayoría de los fabricantes de jabón en frío sólo dependen de los aceites y de las técnicas de elaboración del jabón para lograr el resultado deseado.

Aroma

Tanto los jabones a base de sebo como los vegetales pueden aromatizarse con aceites esenciales puros y aceites para perfumar. No obstante, el aroma es más persistente en los jabones de base vegetal, porque el olor natural de los aceites vegetales es menos profundo que el olor natural del sebo y del lardo. Mientras que los aceites vegetales no tienen aroma alguno o por lo general es muy suave, la grasa animal puede oler a grasa y un tanto como la carne de la que provienen. En forma de jabón, los aceites vegetales permanecen sin olor o como suave complemento de los aceites esenciales puros o con fragancia utilizados, y predominan por sobre los aceites esenciales puros o sin fragancia.

Elección personal

Ni el aceite ni la grasa son la primera y única elección para la elaboración de jabones. Cada uno posee su propio conjunto de características que contribuye tanto en forma positiva como negativa al jabón que con ellos se elabore. Los jabones de origen animal no siempre son de menor calidad ni los de origen vegetal son siempre mejores. Tanto el aceite como la grasa deben ser seleccionados según las características individuales que se deseen. Es la combinación de aceites y grasas que formarán el pan de jabón que satisfaga nuestras necesidades. Mi predilección por los jabones vegetales se debe en parte a una elección filosófica personal.

LOS JABONES CASEROS FRENTE A LOS JABONES COMPRADOS

Aunque muchas de las ramas de la industria cosmetológica están regidas por leyes que obligan a dar a conocer los ingredientes, existe una excepción que les permite a los fabricantes de jabones revelar solamente lo que ellos consideren revelable acerca de sus productos. Esta situación les hace difícil a los consumidores conocer lo que se colocan sobre la piel. La industria rural familiar y las operaciones de fabricación casera casi no tienen un monopolio sobre los productos seguros y efectivos para la piel. Con frecuencia las grandes compañías cuentan con químicos y empleados dedicados al control de calidad, que verifican en forma continua la pureza del producto. No obstante, históricamente el "gran negocio" ha sido presionado por la necesidad de aumentar siempre las ganancias, lo que por lo general lleva a comprometer la pureza del jabón para lograr un balance anual que resulte interesante. Aunque algunas compañías ofrecen productos de calidad superior, desafortunadamente no es posible esperar que la gran industria productora de jabón proporcione la pureza y calidad que se cree comprar.

La industria rural familiar les proporciona a los consumidores la oportunidad de comunicarse en forma directa con el fabricante de jabones, permitiendo una mayor interacción personal y, tal vez, una apreciación más confiable de la integridad del producto. No obstante, aun este camino deja lugar a dudas. La única forma de asegurarse de lo que contiene el jabón es elaborarlo uno mismo. El jabón de elaboración casera no tiene otros límites que la energía y la imaginación de la persona que lo produce. Al elaborar su propio jabón, puede utilizar sólo los aceites y los ingredientes especiales que se adecuen a las necesidades de su piel. No tiene por qué cuestionarse acerca de lo que le han agregado, escatimado u omitido agregar, por la simple razón de que usted mismo ha comprobado lo que contiene.

Los jabones fraccionados mecánicamente frente a los jabones fraccionados a mano

Los jabones fraccionados mecánicamente están fraccionados por máquinas que presionan el jabón recién elaborado entre grupos de rodillos para afinarlo como papel y prepararlo para ser desmenuzado. Una vez desmenuzado, los trocitos de jabón son triturados a través de los rodillos una y otra vez, comprimiéndolos y uniéndolos. Luego la mezcla se introduce en una maquinaria de extracción que compacta un trozo extenso de jabón con trocitos de jabón apelmazado y lo fracciona formando panes más pequeños. Los trocitos ya no se distinguen en esos panes sólidos de jabón. La presión continua crea un jabón muy duro y de apariencia lustrosa, mientras que los trocitos tan finos aumentan la calidad de espuma.

Estos jabones son en verdad maravillosos, pero nosotros, como consumidores, no debemos olvidar prestar atención al contenido. Muy rara vez se elaboran jabones de fraccionamiento mecánico sin sebo o productos químicos artificiales. Un jabón vegetal procesado en frío, con grandes cantidades de aceite de oliva no saturado, sin aditivos y con un exceso de glicerina se adheriría a los rodillos y no podría eyectarse de manera apropiada. Como es usual en la industria del fraccionamiento mecánico, se agrega una variedad de productos químicos artificiales para transformar el jabón desde su estado más natural y darle la suficiente plasticidad para soportar el proceso de fraccionamiento mecánico.

COMPARTIENDO EL SECRETO DE LA ELABORACIÓN DE JABONES

La única forma de progresar en la investigación acerca de la elaboración del jabón es combinando los esfuerzos tanto del fabricante de jabones como del químico, pero guardamos tanto los secretos como la gente del siglo XVIII, cuando aun tenían menos información que compartir. En 1769 la Academia de Marsella ofreció un premio por el informe que revelara el mejor método para elaborar jabón. No hubo respuesta durante cinco años. Finalmente un hombre, que más tarde admitió no saber nada acerca de la elaboración del jabón, presentó un informe describiendo un método particular. Se supo que había obtenido la información en forma confidencial de un amigo que fabricaba jabones.

Los panes de jabón fraccionados a mano no siempre, pero sí frecuentemente, provienen de un jabón procesado en frío sin aditivos. Las industrias rurales y familiares por lo general elaboran jabón de una forma simple, sólo con grasas, aceites, hidróxido de sodio, emolientes naturales, agua y aceites esenciales. A través del proceso en frío, el jabón retiene la glicerina natural creada durante el proceso de saponificación y no se utilizan productos químicos que alteren las reacciones naturales. Sin agregarle ni quitarle nada, el producto final es jabón y no una imitación de laboratorio. Los panes de jabón fraccionados a mano nunca son perfectamente rectangulares o redondeados; parecen un tanto crudos al compararlos con un pan de jabón perfectamente simétrico y lustrado y fraccionado mecánicamente. Asimismo son mucho más propensos a contener grasa o lejía en exceso, porque el método del proceso en frío no permite modificaciones una vez que la reacción está en proceso. Pero si se hacen cálculos meticulosos y con anterioridad, se pueden evitar los excesos extremos. Es por esto que los jabones fraccionados a mano son más reconocidos por el hecho de que es más probable que sean puros y que no estén contaminados como los lustrosos jabones fraccionados en forma mecánica.

EL JABÓN FRENTE AL DETERGENTE

El jabón en sus diversas formas ha sido utilizado durante miles de años. Desde el residuo jabonoso de determinadas hierbas, desde los jabones de potasio de antaño, hasta los más refinados jabones de tocador de hoy en día, siempre se han comprendido y aceptado las limitaciones. Sólo cuando hubo escasez de grasa y aceites durante la Segunda Guerra Mundial la gente se vio obligada a buscar un reemplazo del jabón. Esto dio lugar a la creación de detergentes sintéticos, pero parece que nos han guiado hasta un camino sin regreso.

En la actualidad arrojamos casi sin darnos cuenta una taza de jabón en polvo en la ropa y vemos cómo hace milagros. Un chorro de detergente líquido color azul antes de tiempo casi asegura una limpieza a nuevo de una blusa, y algunos productos químicos introducido en la secadora de ropa deja las prendas suaves y con aroma floral. Los productos químicos fuertes limpian, perfuman y protegen la ropa. Lo que probablemente no entendamos es que muchos de estos detergentes sintéticos también se encuentran presentes en los productos para el cuidado de la piel.

El jabón limpia con eficacia en agua alcalina tibia, pero su efectividad disminuye a medida que cambia el estado del agua. Cuando el jabón reacciona ante los iones de calcio y magnesio presentes en aguas duras, forma una sal insoluble que deja un residuo: un residuo en suspensión que flota o que se adhiere al borde de la bañera. Este compuesto no se disuelve y es eliminado de la solución agregándolo a la suciedad.

Los detergentes son más versátiles que el jabón. Aunque los detergentes son utilizados con más frecuencia para lavar tanto la vajilla como el cabello, también son utilizados en combinación con jabón para elaborar panes de jabón de tocador. Los aditivos de los detergentes, llamados dispersantes de jabón insoluble, aseguran la solubilidad en todo tipo de aguas. Estos aditivos se encuentran en las etiquetas de los panes de jabón más comunes, enumerados debajo de una cantidad de nombres de productos químicos.

Aunque en forma amplia se define al detergente como una sustancia limpiadora, que por supuesto incluye jabón, hace referencia en forma más común a un producto derivado de limpieza sintético. Los detergentes están pensados para actuar en las peores condiciones, y con frecuencia lo hacen. No obstante, una vez más se paga un precio desmedido por productos que limpian en profundidad en forma indiscriminada. Sólo los productos químicos sintéticos muy fuertes limpian todos los materiales en cualquier tipo de medio, y la mayoría de las necesidades de limpieza no son tan extremas. Tal vez se necesite un nivel intermedio, de devastación a moderación.

LOS JABONES NATURALES FRENTE A LOS JABONES SINTÉTICOS

Tal vez no exista un vocablo más utilizado ni definido con mayor amplitud que el de "natural". Yo lo defino con precisión, un químico lo define con amplitud, y la mayoría de nosotros ha visto tanto de esto que ya estamos preparados para eliminarlo.

No es preciso definir un producto natural como uno sin contenido de productos químicos; todo sobre la tierra es un producto químico. A veces se lo define como "orgánico", pero ese concepto también depende de un punto de vista subjetivo. Lo mismo ocurre con la frase "sin productos de origen animal". Hay quienes no utilizan la cera de abejas porque lo consideran un subproducto de origen animal. (Ver veganismo en el Glosario).

Yo personalmente defino el jabón natural como aquel que depende de productos químicos de laboratorio para hacer que el jabón se vea, se sienta y actúe de determinada forma. Todo jabón contiene ingredientes químicos, pero se puede considerar a los jabones naturales como elaborados de acuerdo con la ley natural, y a los jabones sintéticos como limpiadores hechos por el hombre: imitaciones artificiales de una cosa real.

Es tentador para los fabricantes confiar en los productos sintéticos y no en los materiales naturales. Los productos sintéticos son más estables en una mayor cantidad de situaciones. Por lo tanto, al final resultan menos costosos y, a diferencia de las grasas y de los aceites que difieren un tanto de árbol en árbol, de temporada en temporada y de región en región, son los mismos ayer, hoy y mañana. Un gramo de este producto químico, un mol de aquel y *voilà*: la copia perfecta.

A medida que uno se va acostumbrando a los productos sintéticos en todos los aspectos de la vida, se corre el riesgo de perder las defensas naturales y cada vez se siente una mayor necesidad de la intervención de lo artificial. El cuidado de la piel es sólo una faceta de este fenómeno. La piel es capaz de actuar por sí sola para protegernos, pero si utilizamos cada vez más y más sustancias extrañas y fuertes, alteramos la composición química del cuerpo y dejamos la piel sin sus defensas naturales. Nos arriesgamos al depender cada vez más de los productos artificiales que toman el lugar de los sistemas naturales del cuerpo. Cada uno de nosotros debemos decidir qué camino tomar: el de lo natural o el que conduce al laboratorio.

Ingredientes

PARTE 2

CAPÍTULO 2
Características de los aceites, las grasas y los jabones que producen

Hoy existen muchos aceites y grasas disponibles para su uso en la elaboración del jabón. Sólo comprendiendo sus beneficios, limitaciones y disponibilidad se puede determinar qué combinaciones de estos elementos son las más apropiadas para las necesidades particulares. Esta naturaleza esencial de todo jabón se encuentra relacionada en forma directa con los aceites y grasas que lo constituyen.

ACEITE DE PALTA

Naturaleza: El aceite de palta se obtiene de la pulpa de la fruta y es uno de los ingredientes más activos y efectivos utilizados en la industria cosmetológica. Dado que posee un extraordinariamente alto porcentaje de insaponificables (aquella porción de aceite que no reacciona para producir jabón, pero que más bien retiene su constitución original), el aceite de palta es altamente terapéutico. Contiene proteína, aminoácidos y una cantidad relativamente considerable de vitaminas A, D, y E, lo que prolonga la vida útil del aceite. Estos componentes no son sólo humectantes sino que también son curativos. Permiten que el aceite de palta regenere las células, suavice el tejido corporal y cure la piel y el cuero cabelludo escamados.

Tipo / Disponibilidad: El aceite de palta puede comprarse al por mayor a distribuidores de aceites vegetales, o al por menor fraccionado en botellas en los supermercados o en algún comercio de comidas para *gourmets*. Desde porque cuanto menos cantidad se compre, mayor será su costo.

Usos / Beneficios: Así como ocurre con el aceite de almendra, el aceite de palta no necesita ser un aceite predominante en una fórmula para la elaboración de jabón para disfrutar de los beneficios de sus propiedades. No confíe en este aceite por la espuma o por la dureza, sino más bien por sus efectivos insaponificables. Derroche el aceite de palta y utilícelo en proporciones mayores en la fórmula básica para elaborar jabones para personas de piel en extremo sensible.

ACEITE DE RICINO

Naturaleza: El aceite de ricino (a veces conocido como aceite de palma de Cristo) extraído del primer proceso en frío de las vainas es utilizado en forma medicinal. Un procesado adicional produce un aceite de mejor calidad para la elaboración de jabón.

La alta concentración de ácido ricinoleico en el aceite de ricino, que le otorga al una alta viscosidad, lo diferencia de los otros aceites vegetales. Al calcular la cantidad de hidróxido de sodio necesaria para saponificar el aceite de ricino, debe considerarse la composición particular del aceite. Aunque parezca que requiere menos cantidad de hidróxido de sodio, en realidad precisa más, debido a su alto contenido de ácido ricinoleico.

Tipos / Disponibilidad: Es difícil encontrar un proveedor de aceite de ricino que nos facilite cantidades como para elaborar jabón. Sin embargo, muchos fabricantes y distribuidores de grasas y aceites lo ofrecen al por mayor.

Usos / Beneficios: Así como el aceite de oliva y el de jojoba, el aceite de ricino actúa como humectante atrayendo y reteniendo la humedad de la piel. Esta propiedad hace del aceite de ricino un buen ingrediente para champúes y productos para el cuidado de la piel. El aceite de ricino solo no es utilizado con mucha frecuencia en la elaboración de jabones porque sin el agregado de otros aceites produce un jabón suave y transparente.

ADVERTENCIA

Aunque me agrada el aroma del aceite de ricino refinado, posee una fragancia más fuerte que la de otros aceites vegetales. Cuando llegue el momento de perfumar un lote de jabón que contenga un alto porcentaje de aceite de ricino, tenga en cuenta que el aceite de ricino prevalecerá por sobre todos los demás aceites esenciales. El producto final no tiene por qué oler a aceite de ricino, pero olerá a una forma diluida y modificada de la fragancia que ha elegido. Puede protegerse de este inconveniente simplemente manteniendo equilibrada la cantidad de aceite de ricino de la fórmula. Asimismo, el aceite de ricino crudo posee una proteína que es venenosa. Asegúrese de comprar un aceite de ricino ya tratado.

ACEITE DE COCO

Naturaleza: El aceite de coco es como una bendición. Ha cambiado el proceso de elaboración de jabones en forma más dramática que cualquier otro aceite vegetal y su descubrimiento ha dado lugar a jabones de mayor calidad. Aun las empresas que se dedican a la fabricación de jabones a base de sebo utilizan alrededor de un 20 por ciento de aceite de coco para agregarles espuma y propiedades humectantes. Los fabricantes de jabones naturales lo mezclan con aceites de oliva, de palma, de soja o de ricino para los jabones ciento por ciento vegetales. No podría decirlo todo acerca de este aceite. Ofrece para todas las mezclas en la elaboración de jabón la combinación que faltaba. Sin su extraordinaria capacidad de producir espuma, cualquier fórmula estaría incompleta.

Tipos / Disponibilidad: Hoy en día aquella persona que se dedique a la elaboración de jabones puede conseguir aceite de coco de

diferentes tipos, cada uno con un punto de fusión un tanto diferente: 24ºC, 33ºC, 38ºC y 43ºC, todos disponibles en baldes, cubetas o barriles. El aceite de 24ºC comienza a solidificarse entre los 22ºC y los 26ºC; los otros se solidifican alrededor de sus temperaturas respectivas. El aceite de coco que se consigue en los supermercados es por lo general el aceite de coco de 24ºC. Los fabricantes de jabón con frecuencia prefieren uno u otro de estos tipos de aceites de coco, en particular en base a sus métodos y fórmulas exclusivas.
Usos / Beneficios: El aceite de coco se obtiene de la copra, que es la médula del coco disecada. Más que cualquier otra grasa o aceite, es una anomalía. Un porcentaje de aceite de coco en los cosméticos produce un efecto humectante. Demasiada cantidad puede resecar. Su naturaleza saturada resiste a la ranciedad y produce un jabón muy duro, pero su bajo peso molecular permite una alta solubilidad y la producción de una espuma rápida y suave, aun en agua de mar fría.

ACEITE DE SEMILLA DE ALGODÓN

Naturaleza: El aceite de semilla de algodón es un producto derivado de la industria del algodón, que se obtiene cociendo al vapor las semillas de algodón peladas. Aunque no es tan costoso como algunos de los aceites más extraños, el aceite de semilla de algodón resulta por lo general demasiado costoso para los fabricantes de jabón si lo utilizan en grandes cantidades.
Tipos / Disponibilidad: Dado que no conozco ningún fabricante o distribuidor que limite el uso de pesticidas sobre el algodón cultivado para la producción de aceite, no puedo sugerir ningún proveedor. Ante la gran variedad de aceites disponibles para la elaboración de jabones, le propongo elegir alguno de los otros.
Usos / Beneficios: El aceite de semilla de algodón puede compararse al aceite de maní respecto del jabón que produce. No está saturado, y aunque es un tanto lento para saponificarse en el proceso en frío, ofrece una espuma rápida, abundante y duradera. El aceite de semilla de algodón también posee propiedades emolientes pero es más vulnerable a la ranciedad que algunas de las otras grasas y aceites. Esto se debe a su alto contenido de libre de ácidos grasos,

ADVERTENCIA

Una de mis preocupaciones personales respecto del aceite de semilla de algodón es el uso indiscriminado de pesticidas actual en la industria agrícola. También existen productores agrícolas orgánicos, pero muy pocos cultivan algodón orgánico. La mayoría del algodón que se cultiva es rociado con productos químicos artificiales altamente tóxicos y tengo mis reparos acerca del uso de sus productos derivados en alimentos y cosmética.

un factor que varía de acuerdo con el clima soportado por la planta de algodón luego de madurar.
Las plantas expuestas a un exceso de lluvias y humedad dan un aceite con alto contenido de libre de ácidos grasos y por lo tanto es más vulnerable a descomponerse. Recuerde este problema potencial que puede corregirse reduciendo la cantidad de aceite de semilla de algodón en la fórmula.

LARDO

Naturaleza: El lardo se obtiene de la extracción y refinamiento de la grasa de cerdo. La mayoría de nosotros no tenemos bien en claro la diferencia que existe entre los lardos, aunque las características de los jabones que producen cada uno de ellos difiere lo suficiente como para merecer una atención especial. Es mucho más difícil hacer un pedido de grasas y aceites si en realidad no se conoce la forma en que actúa cada uno de ellos en las fórmulas de elaboración de jabón.
Tipos / Disponibilidad: Los lardos de alta calidad son comestibles; los de menor calidad no lo son. Ambos tipos son utilizados en la elaboración del jabón, aunque se utiliza con mayor frecuencia el tipo de lardo no comestible. El mejor lardo proviene de la grasa de alrededor de los riñones y tiene un olor suave. Los diferentes niveles de lardos, tanto comestibles como no comestibles, no están definidos con mucha claridad, y las clasificaciones varían de empresa en empresa. Lo que en una oportunidad se llamaba lardo de selección, lardo de primer vapor y manteca de cerdo, hoy se conoce por una variedad de nombres.
El lardo no comestible es denominado con frecuencia grasa blanca de selección, y aunque muchos fabricantes de jabón la utilizan, se relaciona esta grasa más con jabones de baja calidad que con jabones para el cuidado de la piel de calidad superior. Están elaborados con los productos menos apetecibles de los frigoríficos y pueden contener tanto lardo no comestible como sebo no comestible. Poseen una concentración mayor de libre de ácidos grasos que el lardo comestible, por lo que con frecuencia se les agrega conservantes químicos para evitar que se tornen rancios con demasiada rapidez.
La mayoría de los distribuidores de grasas y aceites que ofrecen sebo también ofrecen lardo. Algunas empresas procesadoras de carnes venden el lardo como un producto derivado del proceso de fabricación.

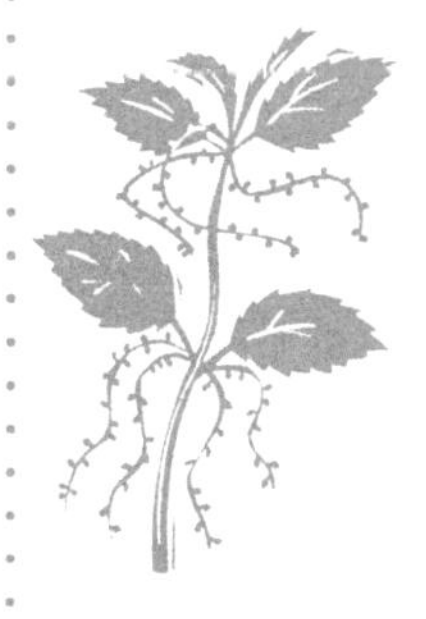

Usos / Beneficios: Sea cual fuere el lardo que elija, asegúrese de utilizarlo solamente en combinación con algunos aceites vegetales beneficiosos. El lardo produce una espuma más duradera y también agrega propiedades acondicionadoras y limpiadoras, pero los jabones a base de lardo son suaves y no se disuelven con facilidad en agua fría. Los beneficios que ofrece para el cuidado de la piel son insignificantes y el lardo de baja calidad produce un jabón que con el tiempo despide olor a lardo. Por ello, debe agregarse a la fórmula aceite de coco, de palma y de oliva. Mejor aún si se consideraran los derechos del animal y se limitaran a utilizar la gran variedad de aceites vegetales disponibles.

ACEITE DE OLIVA

Naturaleza: De la primera presión en frío de la oliva se extraen aceite virgen extra de la mejor calidad y aceite de oliva virgen. Estos aceites son extraídos de la primera presión suave del fruto de la aceituna sin refinación (ver definición de refinación en el glosario) ni aplicación de calor. El aceite de oliva refinado tipo A se obtiene ejerciendo más presión sobre el fruto que ya ha sido exprimido un tanto para producir los aceites vírgenes. Aunque también se lleva a cabo en frío, esta última presión contiene un porcentaje mayor de libre de ácidos grasos y requiere de refinación. De las presiones finales de las aceitunas se extrae lo que llamamos aceite de oliva refinado tipo B y aceite de carozo de oliva refinado. El aceite de oliva refinado tipo B se obtiene a través de la extracción de solventes (por lo general de hexano), utilizando lo que resta de la fruta en las presiones anteriores. El aceite de carozo de oliva es elaborado utilizando los mismos restos de fruta de olivo que se utilizan para el tipo B, pero también se hace uso de los carozos de las aceitunas. Cada una de las presiones sucesivas disminuye en calidad respecto de la anterior, pero las presiones finales son las que en realidad son más útiles en la elaboración del jabón.

ADVERTENCIA

Sea precavido con los aceites de oliva adulterados, en donde el fabricante o el distribuidor ha agregado un poco de aceites más económicos para aumentar las ganancias. Un aceite de oliva de marca adulterado me provocó un año de problemas en el procesamiento.

En el proceso de elaboración de jabones, el aceite de oliva goza de la reputación de ser uno de los aceites más difíciles de saponificar, pero con un poco de conocimiento de los diferentes tipos de aceite de oliva (ver Tipos / Disponibilidad), actúa tan bien como las otras grasas o aceites. Es uno de los aceites vegetales que en mi opinión es indispensable y que vale la pena investigar.

Tipos / Disponibilidad: Durante años me han dicho que un tipo de aceite de oliva no difiere del otro en lo que se refiere a la elaboración del jabón: las estructuras de ácido graso, los índices de saponificación, los contenidos de libre de ácido graso y los índices de yodo son en principio los mismos, (ver Glosario para una explicación de estos términos específicos). Me han sugerido que experimente con un aceite de oliva tipo A, con un aceite de carozo de oliva y con un aceite de oliva extra virgen para verificar que la reacción es la misma en el recipiente para elaborar el jabón.

Éste no es el caso. Dentro de cada aceite existe una porción insaponificable. Este último término hace referencia a los componentes que no reaccionan con un álcali para formar el jabón. Son considerados impurezas, muchas de las cuales son extraídas en el proceso de refinación. Por lo general se pasan por alto estos elementos insaponificables, porque constituyen un porcentaje relativamente pequeño en el todo, aunque yo los considero una fuente de información respecto de un aceite determinado, en especial de cada uno de los tipos de aceite de oliva, porque los porcentajes de elementos insaponificables varían en gran medida de un tipo al siguiente. Estos elementos no saponificables pueden hacer que un aceite de oliva reaccione de forma muy diferente del otro en el proceso de elaboración del jabón.

El porcentaje de elementos no saponificables es muy alto en el aceite de carozo de oliva y demasiado bajo en un aceite de oliva tipo A o en un aceite de oliva extra virgen. Los insaponificables en un aceite de carozo de oliva producen un líquido espeso y acerado que hace que el aceite de oliva sea más viscoso, rápido de reaccionar y de empujar las grasas neutras a la reacción presente en la elaboración del jabón. Actúan como agentes catalizadores fomentando la actividad de la reacción y construyendo un estímulo.

El aceite de oliva extra virgen es la mejor de las calidades para un chef, pero los tipos A y B son los más apropiados para aquella persona que elabora jabones a base de productos de origen vegetal.

El aceite de carozo de oliva, con el porcentaje mayor de elementos insaponificables, impulsa a los otros aceites vegetales a una saponificación más rápida, pero por lo general el aceite de carozo de oliva produce un jabón de color más oscuro y a veces sobrerreacciona ante los otros ingredientes necesarios para la elaboración del jabón, en particular los aceites perfumados y hasta algunos aceites esenciales puros. Los aceites perfumados, que con frecuencia contienen glicol dipropileno, o hasta determinados aceites esenciales puros como el de casia y clavo de olor, pueden provocar que cualquier fórmula de jabón comience a espesarse en el recipiente con demasiada rapidez, pero la reacción parece exagerada en aquellas fórmulas que utilizan un aceite de carozo de oliva.

En una fórmula para elaborar un jabón vegetal en la que se incorpora un alto porcentaje de aceite de oliva, sugiero el aceite de oliva refinado tipo A o B. Si usted tiene acceso a los tipos de aceite superiores, espere un tiempo de saponificación mayor o, si utiliza un aceite de carozo de oliva, esté preparado para actuar rápidamente una vez que agregue la fragancia.

Usos / Beneficios: El aceite de oliva es un muy buen humectante, no porque contenga sus propias propiedades curativas sino porque atrae la humedad del exterior, mantiene la humedad cerca de la piel y forma una capa permeable que previene la pérdida de la humedad interna. A diferencia de tantas otras sustancias utilizadas con este fin, el aceite de oliva no obstaculiza las funciones naturales de la piel mientras lleva a cabo las suyas. La piel puede continuar transpirando, liberando secreción sebácea y desprendiéndose de piel inerte. El aceite de oliva, junto con el aceite de jojoba, la manteca de galam, el aceite de semilla de kukui y algunos otros materiales naturales, no inhiben estas funciones necesarias.

No elijo los ingredientes de un jabón sólo por las propiedades físicas que le otorguen al producto. También exijo que cada uno de los aceites actúe favoreciendo el cuidado de la piel. Por esta razón es que utilizo una proporción mayor de aceite de oliva y acepto su naturaleza más temperamental.

Dentro del ámbito industrial, en donde los jabones son por lo general fraccionados en forma mecánica, los jabones con aceite de oliva tienden a ser muy duros. Con frecuencia los aditivos artificiales contribuyen a darle esta consistencia. Para aquella persona que elabora jabones en frío, el aceite de oliva (sin el agregado de aditivos artificiales) ayuda a que no se produzca un jabón duro como una roca. Deben agregarse aceite de coco y aceite de palma para asegurar un jabón en pan duro. El color del producto final varía con el tipo y el color del aceite de oliva utilizado, de blanco a amarillo, de verde claro a verde oscuro. Para elaborar un jabón blanco puro, utilice un aceite de oliva refinado tipo A o B que tenga una apariencia amarillo brillante o dorado en la botella.

Aunque los jabones con aceite de oliva producen una espuma lenta y escasa, son suaves y limpian bien. Los jabones a base de aceite de oliva y aquellos elaborados con un alto porcentaje de aceite de oliva sin aditivos fuertes, son jabones en general lo suficientemente seguros para personas de piel sensible y para bebés. El jabón de Castilla fue elaborado durante años con un ciento por ciento de jabón de aceite de oliva, aunque actualmente muchas empresas producen jabón de Castilla en pan con una parte de aceite de oliva y una parte de sebo. Los límites son confusos y no se cuenta con leyes que obliguen a dar a conocer los ingredientes. Todo está permitido, por lo que deben pedirse detalles acerca del contenido de cualquier jabón.

ACEITE DE PALMA

Naturaleza: El aceite de palma o el aceite de palmiste proviene de una variedad de palma (la palma del aceite o africana), mientras que el aceite de coco proviene de otra variedad (la palmera cocotera). El aceite de palma se extrae de la pulpa de la fruta.

Tipos / Disponibilidad: Es más difícil comprar aceite de palma en pequeñas cantidades. No hace demasiado tiempo, antes de que se asociara el colesterol con las grasas saturadas, el aceite de palma era utilizado en casi todas las panaderías. Desde que hemos aprendido a utilizar aceites no saturados más saludables, la demanda por el aceite de palma no es más que una fracción de lo que solía ser. Las demás industrias, no las alimenticias utilizan el aceite de palma, pero los distribuidores de aceites y grasas no tienen la demanda suficiente para reducir las cargas de los camiones cisterna 22.500 kg en nada que no sea menor a barriles de 180 kg. No obstante, estas empresas eventualmente no tendrán inconveniente y estarán dispuestas a venderle unos pocos baldes de 15 kg si se le hace un pedido mayor. Debe telefonear y preguntar. Después de varios llamados usted podrá encontrar a alguien que pueda ayudarlo.

Usos / Beneficios: Un jabón elaborado en forma exclusiva con aceite de palma resultará inconsistente y con una baja concentración de glicerina a causa de su alta concentración de libre de ácidos grasos. En muchos aspectos el aceite de palma aporta muchas de las propiedades del sebo. Tanto uno como el otro producen poca cantidad de espuma y su aporte al cuidado de la piel es ínfimo.

No obstante, el aceite de palma es excelente si se lo mezcla con otros aceites. Cuando se lo utiliza en combinación con aceite de oliva o aceite de coco, produce un buen jabón. Aunque el aceite de coco produce una espuma rápida y espesa en un jabón en pan duro, se debe limitar su proporción en la fórmula para evitar que produzca resecamiento de la piel. Es aquí en donde necesitamos del aceite de palma. Así como el aceite de coco, produce un jabón en pan duro y, porque es menos soluble en agua, su firmeza se prolonga durante su uso. También limpia bien, se saponifica con facilidad y es suave. El aceite de palma es el sustituto del sebo que aboga por la defensa de los derechos del animal.

Todos mis jabones preferidos contienen alguna parte significativa de aceite de palma porque produce panes duros y acelera el proceso de saponificación. El aceite de palma promueve una saponificación más rápida de otros aceites que intervienen en la elaboración de jabón. Tanto los aceites esenciales como los nutrientes deben agregarse rápidamente. De lo contrario, el jabón comenzará a espesarse en forma prematura, dado que la mezcla de aceite de palma es más reactiva.

HISTORIA DE UN FABRICANTE DE JABÓN

Patricia Arvidson / Island Soap

El interés de Pat Arvidson por la elaboración de jabón despertó por primera vez en 1977, mientras residía en Australia. Vio el libro de Ann Bramson *Soap: Making It, Enjoying It* (*Jabón: elaborarlo, disfrutarlo*) en una librería y pensó que hacer jabón sería divertido. Compró el libro pero en realidad no elaboró ningún jabón hasta un par de años después, mientras vivía en New Hampshire, y aun así lo hizo para su uso personal.

Cuando su hija Jasmine nació, Pat vivía en Deer Isle, Maine. En vez de retornar a su trabajo de crianza de tiempo completo, decidió probar elaborar jabón para vender. "En realidad fui aprendiendo sola cómo hacer jabón a partir de un par de libros como guía" -narra Pat-. "Había decidido que los jabones ciento por ciento vegetales eran la única forma, porque no quería contribuir al uso de productos derivados de animales. A fuerza de prueba y error y de haber arruinado muchos lotes, finalmente obtuve un jabón que sentí que podía llegar a vender. Estaba tan ansiosa por mi jabón en aquellos días y creía tanto en lo estaba haciendo que iba de puerta en puerta empujada por mi ansiedad".

La empresa de Pat, Island Soap, ofrece alguna variedades maravillosas: *Island Seaweed* (Alga marina de la isla) para una limpieza fresca en profundidad, elaborada con polvo de algas marinas y aceites de cedro, eucalipto, lavanda y tomillo; *Island Herbal* (Hierbas de la isla), hecha con polvo de raíz de consuelda y una agradable mezcla de aceites esenciales a base de hierbas; *Island Red Rose* (Rosa roja de la isla), elaborada con arcilla roja, aceite de pachuli y aceite de fragancia de rosas; *Island Bayberry* (Bayas del árbol de la cera de la isla) que tiene "el aroma de las bayas que se encuentran aquí en la isla"; *Island Lilac* (Lilas de la isla), un jabón blanco puro con aroma a lilas de primavera y jabones como el *Citrus Cornmeal* (Harina de maíz cítrica), *Spicy Oatmeal* (Harina de avena con aroma a especias) y *Coconut Cocoa Butter* (Manteca de cacao y coco).

Pat nos da unos consejos para la seguridad de todos los que elaboramos jabones: "Cuando Jasmine recién empezaba a caminar, entró en el cuarto de elaboración de jabones (que era el comedor en aquella época), vio una cuchara de madera con algo que ella pensó que probablemente era budín y se la introdujo en la boca. Le enjuagamos la boca muchas veces y sólo le habían quedado manchas coloradas que desaparecieron en seguida, pero fue bastante inquietante. Créanme: ésa fue la última vez que dejé una cuchara de madera con jabón crudo por allí".

Reflexionando sobre su experiencia, Pat nos dice: "A través de los años en realidad me ha llegado a fascinar elaborar jabón; incluso con los intentos fallidos de tantos lotes, las noches sin dormir y los desafíos de llevar adelante un negocio y una familia bajo el mismo techo. No me lo hubiera perdido por nada del mundo. En realidad me ha llegado a fascinar".

ACEITE DE PALMISTE Y ACEITE DE PALMISTE DE PALMA AMERICANA

Naturaleza: Existen varios tipos de aceite de palmiste. El aceite que se obtiene de los huesos de la nuez de la palma del aceite o africana es el más común. Este árbol da el fruto utilizado para elaborar el aceite de palma. Los aceites obtenidos de los huesos de la nuez de las palmas de América Central y del Sur producen los aceites de palmiste de palma americana, incluyendo el aceite de *babaçú*.

El aceite de palmiste y los aceites de palmiste de palma americana contienen grandes cantidades de ácido láurico. Este ácido graso no es común, porque combina dos características diversas: saturación y peso molecular bajo. Esta peculiaridad le permite al aceite de palmiste, al aceite de *babaçú* y al aceite de coco producir jabones duros que también logran buena espuma en todo tipo de aguas. Como es habitual, una grasa saturada produce un jabón duro con baja espuma, pero estos aceites también tienen pesos moleculares bajos, lo que produce jabones con propiedades de generar espuma en forma rápida y simple. De esta manera los aceites con un alto porcentaje de ácido láurico reúnen las mejores características en el proceso de elaboración de jabón.

Tipos / Disponibilidad: Los aceites de palmiste no son tan comunes como el aceite de oliva y probablemente no los encontrará en supermercados ni en almacenes. El aceite de palmiste más común es el que ofrecen la mayoría de los distribuidores de grasas y aceites, y aunque el aceite de *babaçú* no es tan común, existen muchos distribuidores que lo venden.

Usos / Beneficios: Los jabones elaborados a base de cualquiera de los aceites de palmiste resultan ser blancos, muy duros y de mucha espuma. Aunque algunas variedades difieren respecto de sus puntos de fusión, este factor es irrelevante para la persona que elabora jabones, que solamente utiliza un porcentaje menor de este aceite: de 10 a 15 por ciento es mucho cuando se lo combina con otros aceites vegetales. Este porcentaje mínimo también evita que el producto final desprenda el olor característico del aceite de palmiste. El aceite de palmiste, así como el de coco, puede producir resecamiento si se lo utiliza en exceso, pero a la vez es humectante si se lo utiliza con moderación.

ACEITE DE MANÍ

Naturaleza: El aceite de maní se extrae de la prensada del maní pelado. Aunque se lo considera uno de los aceites más importantes del mundo, su uso dentro de la elaboración del jabón debe limitarse a un porcentaje mínimo del total de aceites.

Se considera que el aceite de maní no reseca y es un aceite acondicionador que ofrece las propiedades suavizantes de los aceites de ricino y de oliva. Es rico en vitamina E y la piel lo absorbe bien. Algunas personas que elaboran jabón están probando usarlo en mayores cantidades porque es más económico al por mayor que el aceite de oliva, pero por todos los beneficios que tiene por ser un aceite directo, los jabones a base de aceite de maní son de calidad inferior.

Tipos / Disponibilidad: El aceite de maní es fácil de conseguir: contáctese con restaurantes orientales y pregúnteles por sus distribuidores, algunos lo ayudarán con amabilidad; los almacenes locales ofrecen aceite de maní; para comprar al por mayor, póngase en contacto con fabricantes y distribuidores de aceites y grasas.

Usos / Beneficios: Los jabones elaborados en frío a base de aceite de maní son demasiado blandos y producen una espuma estable, pero a la vez débil y viscosa. No obstante, el agregado de aceites de palmiste y de coco compensa las deficiencias. El aceite de coco, de espuma no tan duradera pero espesa, combinado con el aceite de maní, de espuma más duradera pero débil, crea un equilibrio. Tanto el aceite de coco como el de palma aseguran un jabón más duro. Asimismo, de la misma forma que el aceite de oliva, el aceite de maní es altamente no saturado. Los jabones que contienen grandes proporciones de aceites no saturados son más propensos a la ranciedad. Debe limitarse la cantidad de aceite de maní de un 10 a un 20 por ciento del total de grasas y aceites.

Una vez más, si se mantiene el equilibrio, es posible corregir los riesgos latentes de este aceite. De todas formas, experimente con él.

ACEITE DE SOJA (MARGARINA)

Naturaleza: El aceite de soja es el ingrediente principal de la margarina vegetal. El aceite de soja se extrae tanto a través de la compresión como a través de la extracción de solvente de las semillas. Contiene altos porcentajes de ácido linoleico y oleico, que producen un jabón bastante suave aun en estado hidrogenado.

Tipos / Disponibilidad: Ubique algún distribuidor o fabricante de grasas y aceites a quien comprarle margarina vegetal en cantidad. Estudie qué propiedades necesita del jabón, para poder determinar qué tipo de margarina le será más apropiado. Las margarinas vegetales varían de empresa en empresa, que ofrecen las de mejor calidad para tortas y coberturas, y otras para elaborar jabón. Déle mayor importancia a la necesidad de obtener un jabón más duro y una margarina de calidad. Las tiendas de comestibles locales pueden ofrecer margarina vegetal en cantidades bastante grandes a un precio razonable, pero no mayorista.

Usos / Beneficios: Aunque por lo general se eligen margarinas vegetales como un producto alternativo no derivado de origen animal que reemplazaría el sebo o el lardo, deben utilizarse como un aceite minoritario en la mezcla de aceites que ofrezcan propiedades para el mejor cuidado de la piel. Dado que es fácil de conseguir y es relativamente económica, la margarina vegetal puede utilizarse para lograr una espuma abundante, suave y estable. Utilícela en combinación con el aceite de coco para obtener espuma y con aceite de oliva para acondicionar la piel.

SEBO

Naturaleza: El sebo se ha utilizado en la elaboración del jabón con mayor frecuencia que otra grasa o aceite. Se extrae de la fusión de grasa sólida, blanca y escamosa que rodea la zona de los riñones y lomo del ganado vacuno, lanar y caballar. Aunque durante miles de años se han elaborado jabones con restos de grasa y pringue, la mayor parte del sebo que se utiliza para elaborar jabón hoy en día es de mayor calidad y de color más claro.

Tipos / Disponibilidad: Sólo los tipos de sebo de color más claro que provienen de los sebos comestibles o de los sebos no comestibles de mejor calidad son los recomendados para producir un jabón de calidad. Éstos contienen menos cantidad de libre de ácidos grasos.

La mayoría de los ácidos grasos que se encuentran en la grasa o en el aceite están unidos a la molécula de glicerol, formando un triglicérido. Estos ácidos grasos que no se unen al glicerol pero que en cambio actúan en forma independiente, son conocidos como libre de ácidos grasos. Son menos estables que los triglicéridos completos y contribuyen a la ranciedad. Las grasas y los aceites de calidades superiores contienen un porcentaje menor de libre de ácidos grasos que los de calidades inferiores, ofreciéndole al fabricante de jabón un material más confiable.

Las calidades superiores también tienen un mayor olor a limpio, aunque yo personalmente detecto un olor a "carne" al extraer aún los tipos más finos de sebos. Considero que los jabones hechos con sebo extraído en forma casera despiden un cierto olor a carne, lo que los hace un tanto difícil de perfumar.

Para extraer su propio sebo necesitará encontrar una planta empaquetadora de carnes o un buen carnicero que le separe el sebo para usted. Para elaborar grandes cantidades de jabón no resulta práctico extraer su propio sebo. Se requiere calentar el sebo sólido con un poco de agua y un poco de sal, para que eventualmente sea más claro y puro. El proceso insume tiempo, no es tan simple y deja las ollas y superficies de los recipientes grasosas, aun después de haberlas lavado y fregado. El libro Soap: *Making It, Enjoying It* (*Jabón: elaborarlo, disfrutarlo*), de Ann Bramson, en el que se detalla el proceso de extracción, resulta una buena fuente de información. Intente extraerlo una vez, pero para elaboraciones a largo plazo con sebo ubique a un distribuidor o fabricante de grasas que venda sebo preextraído en baldes.

Usos / Beneficios: Se suscita una cierta controversia alrededor del uso del sebo en la elaboración de jabón. Se cree que obstruye los poros, produce espinillas y aumenta la incidencia de eczemas en personas de piel sensible. El alto peso molecular del sebo y la estructura saturada producen un jabón insoluble con una espuma débil y viscosa, aunque duradera. Aquellos que están a favor del sebo destacan las propiedades del duro jabón que produce y su rápida capacidad de saponificación (es decir la capacidad de espesarse para formar el jabón). Asimismo es relativamente económico y abundante. Los que defienden sus virtudes citan los 5.000 años de uso del sebo como suficiente evidencia de que es un ingrediente seguro.

Quienes se oponen al uso del sebo no niegan su valor durante los pasados siglos; sólo cuestionan su uso continuo a la luz de las alternativas que existen actualmente. Algunas personas que abogan por los derechos del animal hacen la distinción entre necesidad y conveniencia: los pioneros no hubieran podido controlar las enfermedades sin la utilización de productos derivados de animales para elaborar jabón. Las alternativas vegetales de las que disponían eran mucho menos efectivas. Hoy disponemos de un banquete de aceites vegetales para reemplazar el sebo en el jabón. Muchos consideran inmoral matar animales por un pan de jabón cuando existen tantos aceites vegetales que lo pueden sustituir tan bien. Otros argumentan que los animales son sacrificados por su carne y no por sus productos derivados, que sólo serían desechados si no se elaborara jabón ni existieran industrias de procesamiento de productos derivados. No obstante, la rentabilidad que surge de la venta de los productos derivados en teoría subsidia la venta de la carne permitiendo su menor costo y fomentando su mayor consumo de la carne.

CAPÍTULO 3
Lejía y agua

Los jabones existen desde hace miles de años. La lejía en su forma actual no estuvo presente durante la mayor parte de la historia del jabón. Los álcalis cáusticos (bases) utilizados para la elaboración del jabón eran potasio lixiviado de cenizas de madera y varios carbonatos producidos de las cenizas de algas marinas y plantas terrestres. Los jabones eran ásperos y blandos y por lo general bastante desagradables. En el siglo XVIII Nicholas Le Blanc descubrió la forma de elaborar soda cáustica (hidróxido de sodio) en forma económica y así la elaboración del jabón llegó a otros niveles de calidad.

JABONES ROMANOS PRIMITIVOS

Durante el siglo I después de Cristo los romanos utilizaban orina para elaborar una sustancia jabonosa. Contenía carbonato de amonio que reaccionaba en presencia de los aceites, y las grasas en lana o lanolina para una saponificación parcial. Ciertas personas llamadas fullones caminaban por la ciudad recolectando orina para vendérselas a los fabricantes de jabón.

El término lejía tiene un significado una cosa para ciertas personas y otro significado para otras. Técnicamente, el término lejía tiene un sentido más estricto que el de álcali o base, y un significado más amplio que el de soda cáustica o potasio cáustico. Nosotros, los que elaboramos jabón, podemos referirnos a estos términos utilizándolos en forma intercambiable con una entera comprensión de lo que queremos expresar. Pero para comprender el proceso de elaboración de jabón debemos aislar cada uno de los componentes y aprender de qué forma contribuyen al producto final.

El término lejía posee dos significados. Es la forma sólida del álcali cáustico y también es la solución acuosa en la que el álcali cáustico ha sido disuelto. Por lo general con la expresión "hidróxido de sodio", me refiero al hidróxido de sodio y con el término "lejía", al hidróxido de sodio / solución acuosa.

Un jabón es el producto neutro que resulta de ácidos de grasas y aceites que reaccionan con bases orgánicas o inorgánicas. Aquellos que procesan el jabón en frío utilizan una variedad de grasas y aceites como ácidos e hidróxido de sodio, un álcali cáustico, como básico. Pero pueden utilizarse muchas otras bases para elaborar jabón. Un jabón determinado dependerá de la base que elija. Un jabón líquido, por ejemplo, requiere hidróxido de potasio (potasio cáustico). Existen muchas clases de álcali cáusticos, pero es el hidróxido de sodio el componente más útil en el proceso en frío.

El hidróxido de sodio (NaOH), también llamado soda cáustica, tiene tres formas: Sólida, en láminas y en solución líquida. La soda cáustica sólida no es útil para la industria rural familiar de la elaboración del jabón. Se denomina solución al NaOH disuelto con anterioridad en agua, pero a menos que la empresa de productos químicos sea local, el costo por transportar la solución acuosa es prohibitivo. La lejía en láminas es fácil de guardar, fácil de conseguir y fácil de utilizar.

Aunque es más económica en bolsas de 22 kg, yo prefiero comprar hidróxido de sodio en paquetes de 400 ml en el supermercado. La humedad de Memphis es bastante severa y encuentra un lugar incluso hasta en las habitaciones con aire acondicionado. Ante la presencia de humedad en el medio ambiente, las láminas de hidróxido de sodio absorben el agua y se apelmazan formando trozos. No quisiera ponerme a desmenuzar una masa sólida de NaOH para poder pesarlo, así como tampoco quisiera obtener una solución de calidad inferior. Asimismo me preocupan la salud y la seguridad respecto de mantener bolsas de 22 kg de un producto químico potencialmente activo en casa. Por lo tanto éste es un material que prefiero comprar en poca cantidad. Asimismo, apriete la cajita de lejía para asegurarse de que el producto no ha sido expuesto a la humedad o al aire. Una cajita que cruja debe dejarse de lado. Para las compras por mayor, póngase en contacto con empresas de productos químicos. Solicite baldes de plástico bien sellados con una cubierta de polietileno.

PROCEDIMIENTOS DE SEGURIDAD

El hidróxido de sodio es altamente reactivo en su forma seca o dentro de una solución. Una pequeña porción de lejía puede quemar varias capas de epidermis ante la menor presencia de transpiración. Un poco de solución puede quemar, chamuscar o al menos corroer una mesada.

Este compuesto merece nuestro más profundo respeto y aún un mayor cuidado. El hidróxido de sodio es corrosivo ante cualquier tipo de tejido. Si es ingerido por accidente, ocasiona un grave daño interno y hasta puede ser fatal. Aun las soluciones más diluidas pueden llegar a producir un gran daño. Ingerir lejía puede resultar fatal si no se actúa con rapidez. Viejos libros instruían a la gente para que neutralizara cualquier ingesta de hidróxido de sodio con ácidos como el zumo de limón o de lima o vinagre y que luego se bebiera un emoliente como claras de huevo o aceite de oliva, que por lo general inducen vómitos. Hoy los centros de control de intoxicaciones le recomiendan a la gente que no siga este procedimiento y que no induzcan el vómito.

Deben verificarse en el centro de control de intoxicaciones local los procedimientos más actualizados. Esté preparado para actuar en caso que alguien ingiera hidróxido de sodio. A la fecha de esta obra, el procedimiento recomendado a seguir es dar agua - 120 ml para los niños y 240 ml para los adultos- e ir con urgencia a la sala de emergencias de un hospital. Cuando haya penetrado en el ojo, debe irrigarse el ojo con grandes cantidades de agua corriente y buscar atención médica inmediata. Someta las quemaduras de la piel a grandes cantidades de agua corriente hasta que la sensación jabonosa y resbaladiza desaparezca luego trátelas como cualquier otra quemadura.

Los desechos de productos químicos tóxicos constituyen otra controversia en muchas actividades comerciales. La persona que elabora jabón debe asegurarse de deshacerse de ellos de la manera más segura posible, pero gozamos de la ventaja de poder utilizar esos desechos. Los restos de jabón pueden reciclarse y la lejía de ayer puede ser utilizada en otro momento si se la mantiene en un recipiente bien sellado. Los errores de cálculo pueden corregirse agregando más hidróxido de sodio o agua, según sea necesario.

ADVERTENCIA

Nunca se deshaga de los restos de hidróxido de sodio, lejía o jabón alcalino crudo sin primero haber investigado las regulaciones locales acerca de este tema. Estos materiales son tóxicos y peligrosos.

Al dejar enfriar la lejía por unas horas o de un día para el otro, preste atención adónde deja el recipiente. Considere a los niños, los gatos, los perros y la actividad que tiene esa habitación. Piense con detenimiento la ubicación, así como todos los otros pasos. Es mejor cubrir todos los frentes, aun ante la menor contingencia.

Ver Capítulo 9 para más instrucciones paso a paso acerca de la preparación y uso de la lejía.

PARA MEZCLAR LA LEJÍA

El hidróxido de sodio debe ser tratado con mayor precisión que cualquier otro componente de la fórmula para no tener problemas en el lote de jabón. Treinta a sesenta mililitros menos de agua o de un aceite determinado no afectarán en forma sensible el producto final. Pero notará esa diferencia con el hidróxido de sodio. Calcule la cantidad de hidróxido de sodio con cuidado, utilizando una buena balanza.

Equipo necesario

Elija un recipiente de vidrio o cerámica para el agua. Busque un jarro con borde para evitar derrames. Los álcalis cáusticos atacan el zinc, la lata, el aluminio y el bronce y hasta el más firme de los plásticos se debilita ante el calor liberado por esta reacción. Algunos libros sugieren hierro o acero fundidos, pero personalmente no recomiendo ninguna de las dos opciones. Eventualmente la lejía se come el hierro fundido a temperaturas más elevadas y a veces contamina la solución. El acero inoxidable parece mantenerse en mejor estado, pero ante su alto costo preferiría destinar esas ollas para la cocina. Es bastante fácil conseguir recipientes de vidrio económicos y resistentes. Es más simple usar un bol redondo que una jarra alta.

La mezcla de hidróxido de sodio y agua genera un calor considerable; para revolver la solución de lejía utilizo espátulas de goma o silicona de alto rendimiento con mangos de plástico de alto rendimiento. Muchos fabricantes de jabón utilizan madera, pero el contacto diario con la lejía va corroyendo la madera y en poco tiempo los utensilios comienzan a astillarse perjudicando la solución.

LA FUNCIÓN DEL AGUA

El agua es utilizada como solvente en el proceso de elaboración del jabón. Para elaborar jabón tres moléculas de álcali deben reaccionar con una molécula de aceite neutral. La soda cáustica seca esparcida sobre la mezcla de grasas y aceites solos no se pondrían en contacto con muchas moléculas de aceite neutral y en su forma sin diluir, las láminas de hidróxido de sodio se concentrarían demasiado para que la neutralización pudiera tener lugar. El agua, solvente universal, disuelve el hidróxido de sodio y lo transporta a todos los rincones del recipiente. Aumenta la superficie del hidróxido de sodio, por lo que asegura una interacción completa con los aceites neutros.

El agua es el único componente químico inerte que reacciona en la elaboración del jabón. Su función es la de transformar la soda cáustica en un estado estable y que luego repose firmemente. Los átomos de oxígeno e hidrógeno no participan en la ecuación química sino que permanecen unidos, al igual que el agua, inclusive en el producto final, no se descomponen e interactúan con los otros compuestos.

Cálculo de cantidades y pruebas

La clave está en calcular la cantidad de agua necesaria para disolver una cantidad determinada de hidróxido de sodio. Muy poca cantidad de agua no transformará la soda en una solución y provocará que el producto final resulte quebradizo y seco. Demasiada agua le agregará una humedad innecesaria a los jabones causando una menor durabilidad y que resulten ser demasiado blandos. La cantidad correcta de agua logrará disolver el hidróxido de sodio, transportarlo a través de los aceites neutros y agregarle plasticidad al producto final. Tenga en cuenta que las fórmulas son un tanto flexibles respecto de la cantidad de agua necesaria para disolver una cantidad de hidróxido de sodio. Cantidades razonables no necesitan ser exactas sino que deben encontrarse dentro de ciertos parámetros.

Aunque una fórmula para elaborar jabón sea un tanto indulgente, el agua dura contaminada surgirá como un defecto u otro en forma eventual. El agua dura contiene sales minerales disueltas que se adhieren en forma rápida a los iones de hidróxido de sodio, dejando menos cantidad de iones libres para que reaccionen con los aceites neutros. Esta disolución de lejía debilita un poco esta solución. Una cantidad insuficiente de álcalis permanecerá para saponificar toda la cantidad de grasas y aceites.

UNA APRECIACIÓN DEL PROCESO DE ELABORACIÓN DE JABÓN

A veces pienso en aquellas personas de siglos pasados que no podían salir corriendo a un supermercado a comprar lejía fraccionada en limpios envases y lista para usar. El sentirme bendecida por poder gozar de productos convenientes y superiores me lleva a meditar acerca de esa gente. Sus vidas deben de haber sido exigentes desde el punto de vista físico, pero me pregunto si sus días les ofrecían mayores recompensas espirituales.

Averigüe la composición del agua corriente y compre agua destilada si los resultados no son los esperados. La calidad de cada uno de los componentes de la fórmula está relacionado en forma directa con la calidad del producto final. Ocasionalmente utilizo agua de lluvia, aunque el agua de lluvia puede contener muchas sorpresas: todo tipo de impurezas caen en el recipiente junto con la lluvia. Con seguridad encontraremos flotando en la superficie uno o dos insectos junto con una aguja de pino, hojas y otras cosas desconocidas. Siempre pase el agua de lluvia recién recolectada por un tamiz con varias capas de lienzos.

INICIO DEL PROCESO DE ELABORACIÓN DEL JABÓN

Una vez pesado el hidróxido de sodio, debe ser agregado con sumo cuidado al agua fría y revolverlo con energía. Los vapores lo abrumarán por diez o veinte segundos. Retenga la respiración hasta que los pequeños trozos se hayan incorporado bastante y luego deje que se ventile la habitación. Regrese a los dos minutos para terminar de unir la mezcla, asegurándose de incorporar cualquier sedimento que se haya depositado en el fondo del recipiente.

Deje que la mezcla se asiente durante un par de horas y se enfríe. Para obtener la máxima solubilidad, asegúrese de incorporar todo el hidróxido de sodio seco en el agua, mientras la solución se encuentra aún bien caliente. A medida que la solución se vaya enfriando, cualquier exceso de hidróxido de sodio se endurecerá formando una masa en el fondo y dificultará la mezcla.

Una vez que se haya enfriado, cubra la solución de lejía hasta que esté preparada para utilizarla. Si se la expone durante mucho tiempo al aire, la solución perderá fuerza mediante la formación de carbonato de sodio, que se forma cuando el hidróxido de sodio se combina con el dióxido de carbono del aire. Mientras incorpora la lejía a los aceites y grasas, revuelva con energía hasta que se incorpore toda la lejía. Intente seguir revolviendo con energía durante todo el proceso de elaboración de jabón, porque lo que hace que se forme el jabón es el contacto constante de una molécula con la otra.

CAPÍTULO 4
Perfumes

Perfumar jabones es verdaderamente un arte. Puede considerarse como un rápido paso final casual en el proceso de elaboración de jabón o puede representar su propio *pièce de résistance*. Un buen pan de jabón es el que ofrece propiedades para el cuidado de la piel pero que también pueda experimentarse en forma sensorial. Note de qué forma los aceites relucen una vez que el pan de jabón es introducido en agua. Deje que su piel sienta la textura de la avena finamente triturada o la suavidad de seda de los aceites emolientes. Luego inhale la mezcla de perfumes lenta y profundamente. Cree sus propios jabones en su mente.

ACEITES ESENCIALES

Muchos de nosotros tenemos la sensación de que la aromaterapia fue descubierta en la última década, pero los múltiples usos de los aceites esenciales han sido descubiertos y redescubiertos desde hace más de 5.000 años. Casi todos los aceites esenciales se extraen de plantas, aunque existen unos pocos que derivan de animales: el aceite de algalia proviene de gatos de criadero, el aceite de almizcleña del almizclero y el aceite de ámbar gis de una secreción de las ballenas. El aceite esencial en las plantas es en cierto modo como la sangre en los seres humanos. Fluye a través de un sistema que poseen las plantas para combatir enfermedades y depredadores, mientras que al mismo tiempo atraen otras plantas e insectos que le son beneficiosos.

Como fabricantes de jabón, al pensar en aceites se nos ocurren aceites grasos como el aceite de oliva, de jojoba o el de coco, pero un aceite esencial es otra cosa muy diferente. Por lo general se asemeja más al agua que al aceite dado que se evapora con rapidez una vez que se lo expone al aire. El aceite esencial de una planta es una mezcla única de las características de la planta. Enriquecemos los jabones incluyendo estos aceites y lo que tienen para ofrecernos.

Los aceites esenciales provienen de las hojas, frutos, flores, pétalos, vasos capilares, corteza o tallos de las plantas y con frecuencia heredan el aroma o sabor de esas plantas en particular. Los aceites se extraen a través de un proceso de destilación o expresión y ambos métodos son tediosos y requieren de un equipamiento sofisticado.

Algunos aceites esenciales puros son muy costosos. Por lo general se necesitan grandes cantidades de plantas para extraer 30 ml de aceite esencial. Algunos aceites son mucho más costosos de producir que otros, dado que requieren de mucha más cantidad de plantas para el proceso de destilación, las plantas en particular

HISTORIA DE UN FABRICANTE DE JABÓN

Barbara K. Bobo / Woodspirits Ltd., Inc.

Barbara K. Bobo de Woodspirits es una especialista en herboristería medicinal con experiencia en aromaterapia. Sin sorpresas descubrimos que sus jabones se distinguen por las combinaciones únicas de aceites esenciales puros. Los jabones de Woodspirits están elaborados en base a una combinación de aceite de coco y aceite de oliva; algunos incluyen aceite de ricino y aceite de almendras o lanolina. Con nombres como *Seaweed Scrub* (Limpieza profunda a base de algas marinas), *Carrara, Phome y Pacific Mist* (Bruma del Pacífico), estos jabones ofrecen una espuma fragante y hermosos colores naturales. Dentro de los jabones hay especias como canela y páprica, hierbas aromáticas y pigmentos naturales como ultramar, ocre, clorofila, pizarra y arcilla.

El folleto de Woodspirits describe cada tipo de jabón en detalle, narrando la "historia" que hace la lectura más llevadera. *Azteca*, su jabón champú "para desterrar la botella", está hecho con arcilla blanca francesa y espírula (un alga). *Portuguese Breakfast Bar* (Jabón desayuno portugués), un jabón marmolado de terracota y crema, está elaborado con aceites esenciales puros de almendra amarga, canela, *petitgain* y naranja dulce. *Barley Bath* (Baño de cebada) es un antiguo medicamento para manos ásperas por el trabajo y mejillas castigadas por el viento, elaborado con harina pura de cebada y semillas de fenegreco.

La aventura de Barbara con la elaboración de jabón comenzó hace veinte años. Hoy, Woodspirits involucra a Barbara y a su familia inmediata y a otras cinco familias (quienes están contratadas en forma independiente por sus servicios), incluyendo a la familia de su hermano en Nebraska y un equipo compuesto por su padre y su hija en Londres. Sus dos hijos la ayudan con cada una de las producciones de jabón, que por lo general tienen lugar dos veces por semana. Preparan lotes de 215 kg y vierten el jabón en matrices de 14 kg.

El negocio de Barbara fue transformado por un consejo de producción que un caballero llamado Reid Worthington le dio, sugiriendo que utilizara cubetas para miel de acero inoxidable para aumentar la producción de 60 jabones a 1.600 por vez. "No estaba segura de que diera resultado... ¡La mañana en que hicimos el primer lote en esa cantidad, estaba tan nerviosa como nunca lo había estado en mi vida! Pero funcionó de maravillas". Reid ya falleció pero Barbara dice: "Gracias a Reid y a su actitud generosa he logrado el éxito. Siempre recordaré su amabilidad y siempre pasaré a otros su ejemplo".

Barbara ofrece varios consejos para los novatos en la elaboración de jabón: 1) Pesar siempre la lejía -no confiar en las etiquetas-; 2) Agregar la lejía al agua, no a la inversa, y revolver con energía; y 3) Usar siempre antiparras. También da a conocer un método poco común que ha desarrollado durante años para cortar el jabón: una máquina operada a mano que primero utilizaba cuerdas de guitarra y más recientemente alambre de seguridad para aviones. Para finalizar, Barbara hace hincapié en que la honestidad, la diligencia, el afán de perfección y -en especial- el sentido del humor, todo eso va incluido en sus jabones. "Creo que se nota", agrega.

son más costosas de cultivar y el proceso de destilación es más complicado. Para la mayoría de nosotros los aceites esenciales puros de rosa, nerolí y jazmín se encuentran fuera de nuestro presupuesto.

Aceites artificiales frente a aceites esenciales

Por lo general los aceites artificiales son utilizados para reemplazar los aceites esenciales prohibitivamente costosos y, desafortunadamente, los más económicos también. Actualmente los productos químicos artificiales recrean casi todo lo que encontramos en la naturaleza, pero estas imitaciones no ofrecen las propiedades únicas de los aceites esenciales. Por ejemplo, los aceites esenciales utilizados para suavizar la piel, reducir inflamaciones, curar una herida o asentar el estómago no pueden ser creados en forma artificial. Un aceite absorbido a través de la piel para obtener sus beneficios curativos es valioso sólo en forma esencial. Nunca debe utilizarse una reproducción artificial en aromaterapia.

Algunos fabricantes de jabón jurarían sobre los aceites artificiales, mientras que otros nunca los usarían. He descubierto que me agrada uno de cada cincuenta. El aceite de gardenia de una empresa es muy bueno, mientras que el de otra es genérico. Demasiadas empresas producen unas pocas "bases" y simplemente las alteran un tanto de aroma en aroma. Esos aceites huelen a genéricos y sólo un poco diferentes de los otros: evítelos. Solamente tomando muestras y examinando varios aceites esenciales y artificiales se podrá desarrollar un sexto "sentido aromático".

Los aceites artificiales son utilizados con mayor frecuencia dado que son mucho menos costosos que los aceites esenciales y menos vulnerables a que se echen a perder, porque sólo contienen un pequeño porcentaje (de haberlo) de material vegetal real. Sí los encuentro estables sobre la alacena pero no en los jabones. Finalmente encontré una maravillosa aproximación del té de rosas, pero luego descubrí que una vez que forman parte del jabón, se echan a perder en unos pocos meses.

ADVERTENCIA

Tenga en cuenta que aun los aceites esenciales puros son extraídos utilizando solventes químicos que pueden o no eliminarse por completo del aceite final. Cada vez que le sea posible, compre aceites esenciales que estén procesados en frío o destilados. Éstos no poseen residuos.

El calor y la alcalinidad afectan tanto a los aceites esenciales como a los artificiales, pero la reacción química de la cuba de elaboración de jabón en frío altera los aceites artificiales de una manera más sensible. Algunos pierden la fragancia por completo y otros producen un jabón que sólo huele al aceite que fue agregado. Los aceites artificiales son más propensos a comenzar a vetearse y luego comprimen la mezcla de jabón de repente, solidificándose y dando lugar a apelmazamientos. Estos aceites son elaborados con frecuencia con glicol dipropileno o hasta con alcohol puro, que por lo general trastorna el lote de jabón recién saponificado. Asimismo, verifique determinados aceites esenciales puros como el de clavo de olor y casia, que causan una sobrerreacción en el jabón líquido.

Los aceites económicos pueden arruinar lotes perfectos de jabón. La producción de jabón en gran escala por lo general implica un proceso de fraccionamiento mecánico en donde el jabón es triturado y secado antes de ser perfumado, presionado y eyectado en panes. En el momento de perfumar la mezcla, el jabón es mucho menos activo y alcalino y recibe con mayor facilidad los aceites de calidad inferior. Un lote recién hecho de jabón procesado en frío es menos tolerante.

OBTENCIÓN DE ACEITES ESENCIALES

Cada vez más y más empresas ofrecen aceites esenciales y aceites perfumados. Dada la complejidad de la extracción del aceite natural, existen muchos más distribuidores que fabricantes. Los aceites artificiales son fabricados con mayor facilidad, por lo que existe más cantidad de este tipo de empresas. Las empresas que se dedican a perfumería y que también proveen aceites esenciales puros sólo venden los aceites esenciales que utilizan en sus fórmulas. No se encuentran en el negocio del refraccionamiento de aceites esenciales puros y su objetivo es la fórmula artificial, no la pureza.

Alguna empresas ofrecen aceites de naturaleza idéntica o aceites compuestos naturales que no son tan puros como los aceites esenciales. Estas empresas obtienen grandes ganancias; en vez de crear un aceite esencial puro de geranio de rosa, utilizando solamente la planta de geranio de rosa, extraen la esencia de plantas más abundantes y las mezclan con aromas similares para crear una fragancia parecida a la del geranio de rosa.

Cuando más cerca se encuentre el distribuidor del fabricante en el proceso de venta, mejor será el precio. Lo malo es que estas empresas aceptan compras mínimas grandes, de 2 a 4 kg de aceite esencial hasta un barril o dos llenos de cada uno. Más abajo en el proceso de producción, se encuentran los distribuidores, que le venderán 450 g o 900g de aceite esencial a un muy buen precio. Si puede comprar en cantidad, hágalo y evite la cuarta, quinta y sexta generación de distribuidores que compran a otros. Usted paga un precio por un producto con tantos aumentos como intermediarios.

Trabaje junto con otros fabricantes y artesanos del jabón para descubrir el mercado de proveedores. Para poder comprar al por mayor necesita tener un número de identificación impositivo. Si no posee un negocio establecido y por lo tanto no puede adquirir materiales al por mayor, esté alerta con las diferencias de precios en el mercado minorista. Estos aceites pueden arruinar o glacear la fórmula que ha creado con tanto esmero; por lo tanto, ponga todo su esfuerzo en conseguir solamente los perfumes más puros y estables.

CONSIDERE LA IDEA DE ELABORAR JABONES SIN PERFUME

Los jabones sin perfume son igualmente agradables y las fórmulas son menos temperamentales. El período más reactivo del proceso de elaboración de jabón es durante e inmediatamente después de agregarle los aceites esenciales. La solución se torna menos confiable y puede producir el efecto contrario. Si se vierte el jabón como está, sin agregarle ninguna fragancia, se minimizan los riesgos.

MANTENIMIENTO Y EMPLEO DE LOS ACEITES ESENCIALES

Los aceites esenciales son muy distintos de los aceites grasos y deben tratarse de una forma diferente. Son muy sensibles a la luz y al calor y se evaporan si se los expone al aire. Mantenga los aceites en botellas de vidrio color ámbar en un lugar fresco y tápelas bien. Los aceites esenciales no deben exponerse a temperaturas por debajo del punto de congelamiento ni por sobre los 35ºC.

La vida útil de cada aceite varía. Los aceites artificiales contienen estabilizadores y conservantes para que duren por años. Algunos aceites esenciales como el de sándalo, de pachuli, palo de rosa, jazmín y rosa mejoran con el paso del tiempo; otros, en especial los aceites cítricos (bergamota, mandarina, lima, limón y naranja), son vulnerables luego de sólo seis meses. Algunas personas mantienen los aceites cítricos en el refrigerador para extender su vida útil. (Deben encontrarse a temperatura ambiente antes de agregarlos a la mezcla de jabón). Compre aceites finos de buena calidad para que duren más tiempo. Tengo un aceite esencial de limón que tiene dos años y todavía está en buen estado, lo que demuestra que no existen reglas.

Según la forma en que obtiene el aceite de la planta y si se preservó o no su integridad durante el proceso, el aceite puede ser o no estable. La mayoría de las empresas aconsejan a los clientes terminar los aceites antes de un año o dos de haberlos comprado. Tengo aceites desde hace cuatro años que se encuentran perfectamente y nunca tuve que desechar ningún aceite, pero por otro lado no existe ninguna tabla que asigne con precisión fechas de vencimiento. Aquellas personas que elaboramos jabón llegamos a conocer los aceites a través del uso y de la familiarización. Pida asesoramiento a los proveedores, pero también coseche sus propias experiencias.

Aunque se debe limitar el agregado de productos químicos dentro de los jabones, algunos aceites artificiales le proporcionan una mayor variedad de aromas. Utilizados con moderación, estos aceites artificiales pueden ofrecer beneficios, pero asegúrese de sopesar con cuidado sus prioridades antes de elegir alguna versión sintética del producto real. En forma ocasional utilizo un aceite artificial perfumado, porque existen algunas mezclas muy buenas. Sin embargo, no benefician la piel, por lo tanto debe utilizarse con moderación y también agregarse nutrientes a los jabones que sí ofrecen propiedades para el cuidado de la piel.

Debe tenerse en cuenta que ningún aceite esencial ha sido reconstruido con éxito en un laboratorio. Aun cuando las pruebas de laboratorio demuestran que han obtenido una réplica casi perfecta, se pueden identificar fácilmente las versiones sintéticas de un aceite esencial puro. Los aceites naturales contienen determinados elementos intangibles junto con la fórmula química.

Cantidad de aceite

Los porcentajes de aceite esencial utilizado en un jabón dependen de la fórmula. Cuando por primera vez aprendí a elaborar jabón, la receta para un lote de 5,5 kg que encontré requería solamente de unas pocas gotas de aceite esencial. Como se me dificultaba detectar la fragancia en el producto final, le agregaba un par de cucharaditas extras cada vez que preparaba un nuevo lote. Para cuando me sentí satisfecha, las pocas gotas se había convertido en 90 ml de aceite esencial puro.

Salvo aquellas personas que sufren de alergias o que simplemente prefieren jabones sin fragancia, nadie puede sentirse hastiado por el límite máximo de un aceite esencial puro mezclado en el jabón. Como adicta a las fragancias, me agrada que el perfume constituya una parte integral del jabón. No obstante, cada fórmula sí tiene un límite de saturación; una mezcla de jabón puede recibir sólo cierta cantidad de producto no saponificado antes de separarla del resto. Haciendo uso del proceso en frío, los aceites esenciales pueden representar hasta un dos por ciento del peso total de los ingredientes del jabón, aunque personalmente utilizo alrededor del uno por ciento. Recuerde incluir en sus cálculos cualquier aceite supergraso, miel u otros aditivos naturales, para evitar sobrecargar la mezcla. Estos ingredientes son incluidos inmediatamente antes de verter y no se saponifican.

Cualquier exceso es visible luego del período de estabilización de veinticuatro horas una vez retiradas las mantas. El exceso de aceite esencial se separa y forma pequeñas burbujas que encontrará reposando sobre una masa oleosa de jabón duro al abrir las bandejas. Se puede recuperar ese lote retirando el bloque sólido de jabón y eventualmente fraccionándolo en panes en la forma usual, pero los jabones no serán del todo apropiados.

Los pasos finales de la saponificación se llevan a cabo mientras el jabón se estaciona, pero un exceso de aceite obstaculizará la finalización del proceso interfiriendo con la reacción química y alterando el producto final. El pH puede modificarse, los jabones pueden nunca endurecerse como debieran y la consistencia puede resultar un tanto grasosa. No obstante, esta complicación no es común y rara vez será un problema si se siguen los lineamientos generales.

PARA MEZCLAR ACEITES

Las siguientes sugerencias para mezclar aceites tienen la sola función de una guía; usted bien podría utilizar estas combinaciones como punto de partida en el desarrollo de sus propias fragancias. La estricta sujeción a las fórmulas es limitante. Ningún pintor combinaría solamente determinados colores así como ninguna persona que elabore jabones debe someterse a la imaginación de otra.

Los aceites esenciales se mezclan para complementarse entre sí. Por lo general son más interesantes combinados que solos. No obstante, algunos actúan muy bien juntos mientras que otros no.

La fragancia de un aceite se la mide de acuerdo con la intensidad; con qué frecuencia y por cuánto tiempo nos afecta; si se los "siente" de salida o de base; su integridad y fuerza. A medida que usted se vaya familiarizando con las características de los aceites, se dará cuenta de cuáles combinan y en qué proporciones. El gusto personal afectará sus elecciones pero considere la relación entre aceites respecto de esas características.

Me agrada comparar la intensidad de los aceites esenciales con los instrumentos musicales y sus amplios matices de expresión. De acuerdo con la altura, el tono y la amplitud, algunos instrumentos pueden tocarse en forma alternada o en armonía. Lo mismo ocurre con los aceites esenciales. Algunos aceites se combinan en armonía y otros crean una cacofonía.

El sonido de un timbal puede ser abrumador si no se lo limita. El sonido continuo del saxofón tapa el del arpa, pero si se turnan y equilibran sus volúmenes, la combinación puede enriquecerse y

CARACTERÍSTICAS DE LOS ACEITES ESENCIALES RESPECTO DE LAS FRAGANCIAS

Las fragancias volátiles / de salida / suaves son solamente detectadas por un momento pero tienen una pureza que nosotros "sentimos" que nos llega hasta la nariz. Son las campanas que suenan en forma ocasional para enfatizar y puntualizar.

Las fragancias persistentes / de base / fuertes son como un timbal: la corriente oculta suave y persistente. Estos aceites se evaporan con más lentitud. Se huelen profundos al respirarlos y se sienten con cuerpo. Se nos presentan tal como son, sin sutilezas ni inhibiciones. ¡Sólo un poco perdura bastante tiempo!

Fragancias volátiles / de salida / suaves	Fragancias persistentes / de base / fuertes
limón	clavo de olor
pomelo	enebrina
rosa	mirra
lima	lavanda
haba tonca o cumarú	vetiver
petitgrain	pachulí
nerolí	cedro
manzanilla	ilang-ilang
mandarina	vainilla
sándalo	pino
bergamota	salvia esclarea
palo de rosa	jazmín
naranja	albahaca
geranio	tomillo
	olíbano
	nuez moscada
	anís
	casia
	lemongras
	romero
	menta

armonizarse. El aceite de bergamota es difícil de detectar si no se utiliza lo suficiente. Ante la presencia de demasiada cantidad de pachuli, la bergamota ni se notará. Si se los combina de forma adecuada y con cuidado, la bergamota puede quedar bien con el pachuli.

La fragancia del pachuli es persistente y con cuerpo. Este aceite es maravilloso como base sensual y embriagante, pero una proporción demasiado alta de aceite de pachuli en la mezcla puede ocultar los otros aceites. Asegúrese de tener en cuenta las características de todos los aceites esenciales que considere para la mezcla utilizando una cantidad menor o mayor de un aceite en particular según la frecuencia, duración e intensidad que será detectado.

El arte fascinante de la aromaterapia aparta una amplia gama de características de varios aceites y asigna relaciones entre aceites y muchas propiedades beneficiosas. Para el principiante que desea comenzar a experimentar con aceites esenciales para perfumar sus jabones, pero que aún no ansía estudiar la ciencia de la aromaterapia, mi versión simplificada de clasificación de fragancias lo ayudará a comenzar. Asimismo, debe tenerse en cuenta que las clasificaciones de las fragancias dentro del jabón no son las mismas que las combinaciones para perfumes, porque el hidróxido de sodio y el calor afectan la mezcla. Si llega a apreciar los aceites esenciales y sus propiedades beneficiosas, consulte un libro sobre aromaterapia para una información más profunda y precisa sobre este tema.

Pruebe elegir aceites que se equilibren unos con otros. Seleccione una fragancia de salida para que balancee una de base, menor cantidad de una fragancia persistente para que balancee una más volátil y una mayor cantidad de una fragancia débil para que equilibre una cantidad menor de una fragancia fuerte y con cuerpo. Pero no se sienta obligado a elegir las fragancias de una forma rígida y metódica. Utilice estas agrupaciones solamente como una guía para evitar saturar una mezcla y atrévase a romper las reglas de vez en cuando para poder sorprenderse.

FAMILIAS DE FRAGANCIAS

Los aceites esenciales también se distinguen por su familia o grupo. Las siguientes familias de aceites pueden ayudar a guiarlo en la creación de sus propias mezclas. La preferencia personal puede llevarlo a determinados tipos de fragancias: florales, cítricas, siempre verdes, herbales, frutales, del bosque y frescas. Hay diferentes fragancias para distintos estados de ánimo. Pruébelos todos en algún momento.

Del bosque	Siempre verdes	Fresca
sándalo	pino suizo	albahaca
cedro	pino de la montaña	pepino
pachuli	pino del océano	violeta
palo de rosa	pino de piedra	mimosa
enebrina		

Floral	Herbal	Frutal	Cítrico
clavel	romero	manzana	limón
gardenia	mejorana	durazno	naranja
madreselva	eneldo	fresa	mandarina
lavanda	estragón	damasco	bergamota
mimosa	coriandro	casis	pomelo
ilang-ilang	enebrina	cereza	lima
jacinto	hinojo		verbena
manzanilla	semilla de alcaravea		petitgrain
lila	salvia esclarea		
jazmín			
rosa			
muguete			
geranio			
flor de manzana			
azucena			
lirio			
junquillo			

TREINTAIUNA FRAGANCIAS ESPECIALES

Para perfumar un jabón con cualquiera de las fórmulas detalladas en el Capítulo 9 o una creada por usted, pruebe las siguientes combinaciones de "fragancias especiales" de aceites esenciales. Para combinar unos pocos aceites esenciales diferentes y así perfumar un lote de 5,5 kg, le sugiero que calcule las cantidades por volumen y no por peso. Tendrá mayor control sobre el exceso y el desperdicio. Lleve a cabo los ajustes necesarios para lotes mayores o menores.

Fragancia	Aceites	Cantidad (en cucharaditas)*
Cítrica	limón	9
	bergamota	5
	lemongras	2
	clavo de olor	2
Holiday Spice	nuez moscada	6
	macís	2
	clavo de olor	2
	casia	4
	limón	4
Tuolumne Meadows	casia	4
	lavanda	5
	clavo de olor	3
	alcaravea	4
	tomillo rojo	2
Urania's Gift	lavanda	3
	limón	4 ½
	romero	3
	salvia	3
	menta	3
	casia	1 ½
Oxford, Maine	sándalo	10
	pachuli	5
	sasafrás	3
Carefree Highways	vainilla	8
	rosa	5
	sándalo	5
Steve's Suggestion	limón	12
	almendra	6

** 1 cucharadita = 5 ml aproximadamente*

Checkerberry	casia	6
	lavanda	12
Pesto	enebrina	7
	bergamota (o limón)	6
	albahaca	3
	pachuli	2
Soft-Spoken	limón	9
	lavanda	9
Memphis Blues Bar	sasafrás	4
	nuez moscada	2
	bergamota	5
	pachuli	2
	sándalo	5
Exeter Street	vainilla	6
	lavanda	8
	palmarrosa	4
Sassy Soap	sasafrás	5
	romero	3
	almendra amarga	2
	lavanda	4
	limón	4
Sweet Earth	lavanda	9
	pachuli	3
	vainilla	6
Summer Spice	rosa	9
	clavo de olor	5
	menta	4
Purple Rose	lavanda	12
	rosa	6
Wipe Away Suspicion	enebrina	7
	lavanda	6
	romero	5
Bar Beatriz	limón	9
	lavanda	5
	romero	4
Clean Slate	sándalo	6
	rosa	6
	ilang-ilang	4
	pachuli	2
Wash-Your-Hands-of-It	lavanda	5
	olíbano	7
	casia	2
	rosa	4

Soap of the Earth	sándalo	7
	naranja	3
	rosa	3
	casia	2
	geranio	3
16 Moore Street	rosa	13
	pachuli	5
Clean-Cut	geranio	4
	naranja	7
	limón	7
Bar None	sándalo	6
	pachuli	3
	rosa	3
	lavanda	2
	limón 4	
Wipe-Out	casia	8
	sasafrás	5
	bergamota	5
Zabar's Zoap	casia	9
	almendra	9
Midnight at Ken's	alcaravea	10
	lavanda	5
	romero	3
Plan B	sándalo	10 ½
	pachuli	4
	lima	1 ½
	clavo de olor	2
Bed'n Breakfast	casia	4
	rosa	5
	clavo de olor	4
	bergamota	5
Allegheny Adventure	limón	8
	clavo de olor	4
	sasafrás	6
Sounthern Summers	ilang-ilang	4
	vainilla	4
	haba tonca o cumarú	4
	lima	6
The 11th Hour	enebrina	6
	tomillo rojo	5
	lavanda	4
	romero	3

ALERGIAS

Algunas personas reaccionan en forma adversa a todo tipo de materiales, incluyendo los más naturales. Nosotros, como fabricantes de jabones, debemos estar alertas de los alergenos sintéticos pero también debemos tener presente que los aceites esenciales puros pueden ser irritantes potenciales.

A mi leal saber, nadie ha tenido jamás problemas con mis jabones. Los jabones procesados en frío elaborados con un mínimo de álcalis son ricos en glicerina, aceites emolientes y elementos no saponificables. Estos jabones son mucho más puros que los artificiales y las personas de piel sensible pueden confiar en ellos.

Dentro de la elaboración en frío, los aceites esenciales representan solamente un pequeño porcentaje del total de los ingredientes y la mayoría de las personas no experimenta ninguna reacción a esa disolución. No obstante, hay personas que no pueden exponerse ni a una sola gota de fragancia que contenga un producto para el cuidado de la piel o que se encuentre simplemente en el aire. Éstas son las mismas personas que han aparecido de a multitudes solicitando publicaciones sin fragancias publicitarias; no son sólo un puñado de individuos. Son alérgicos a los perfumes y no pueden tolerar ni siquiera el más sutil de los aceites esenciales. Por ello debemos ofrecerles a estas personas jabones sin fragancia, sin utilizar perfumes y agregando aceites grasos suaves.

Alguna persona sensible a los aceites esenciales puede experimentar una reacción ante cualquiera de las variedades, pero la experiencia nos demuestra que unas pocas fragancias son más problemáticas que otras. Présteles atención a los aceites que pueden ser alergenos potenciales, pero recuerde que yo he utilizado muchos de ellos con toda libertad en mis jabones durante años sin recibir una sola queja, aun de personas de piel sensible.

ACEITES QUE PUEDEN LLEGAR A IRRITAR

albahaca
alcanfor
árbol del té
casia
cayeputi o árbol de la India
cedro
citronela
clavel
clavo de olor
eucalipto
lemongras
limón
melisa
menta
naranja
orégano
pino
romero
tomillo
verbena

HISTORIA DE UN FABRICANTE DE JABÓN

Camille Le Doux / Camille Le Doux's Handmade Soaps & Toiletries, Ltd.

En la década de 1890 el bisabuelo de Camille Le Doux, Marcel Majeau, era dueño de una farmacia de la calle Bourbon en Nueva Orleans, en donde elaboraba y vendía jabones y productos de tocador a los cantantes de ópera franceses. Marcel Majeau era conocido entre la gente de clase media por su maravilloso *Savon au Bouquet* (jabón perfumado), elaborado en forma artesanal. Utilizaba aceite de oliva puro y lejía. Como toda ciudad portuaria, Nueva Orleans tenía un rápido acceso a los aceites esenciales exóticos como los de rosa y jazmín, que el señor Majeau incorporaba a su jabón. "Una de mis más interesantes recetas que aún hoy elaboro, es la del *Sportsman's Soap*" (Jabón del deportista)- dice Camille. "Contiene citronela, una hierba natural repelente de mosquitos y Litsea cubea, una hierba desdodorizante natural parecida al limón. Otro de sus trucos que yo utilizo consiste en colocar canela molida en el jabón. Huele maravillosamente y le da al jabón una hermosa apariencia marmolada".

El bisabuelo de Camille le enseñó a su hija, Louise Majeau, cómo hacer jabón, y Louise, la madre de Camille, le pasó sus conocimientos a Camille. Aunque Camille aún elabora muchos de esos jabones, reemplaza el aceite puro de oliva por la combinación de aceite de coco, oliva, soja y almendra, porque no puede conseguirlo tan económico como lo hacía su bisabuelo. Al vivir en el condado de Cajun, donde se cultiva la soja, Camille consigue con facilidad una gran cantidad de aceite de soja al que agrega aceite de coco para lograr que sus jabones produzcan una espuma mejor.

Entre los jabones de Camille encontramos *Voodoo Spice* (Aroma vudú), que contiene olíbano, mirra, jazmín, curry y mejorana, un jabón herbal para piel seca y un jabón de almendras para piel grasa. Se incorporan a los jabones aceites esenciales puros como el de rosa, jazmín y lavanda, así como también olíbano y mirra en polvo y, directamente de su jardín, aloe vera y romero (que coloca en el procesador de alimentos antes de utilizarlos).

Camille elabora su jabón en lotes de 11 kg en su propia cocina, lo vierte en recipientes de plástico herméticos y los deja estacionar por dos semanas. Luego de retirar el bloque de jabón duro de los recipientes, lo deja reposar durante una semana más y luego fracciona el bloque en panes de 120 ml con una espátula de metal.

CAPÍTULO 5
Colorantes

Cuando se trata de productos para el cuidado personal, a veces nos atrapa más la presentación que la utilidad y la conveniencia del producto en sí. Algunos cuartos de baño de recepción se encuentran inmaculados, con toallas de lino bordadas maravillosamente apiladas sobre el lavatorio y jabones de colores lustrosos y secos en una jabonera de porcelana a una distancia prudencial del lavatorio. Esos toques especiales son agradables para las visitas pero también pueden asustar a las personas y espantarlas de usar cualquier cosa por miedo a arruinar el efecto. Deseamos que nuestros productos para el cuidado de la piel sean atrayentes y sirvan para usarse, no sólo para mostrarse.

Los jabones lustrosos y de colores por lo general son más artísticos que útiles. Los colores para jabón verde palta, rosa fuerte y lavanda vibrante son creados en el laboratorio de algún químico y con estas hermosas tonalidades vienen los riesgos para la salud ocasionados por el uso de productos químicos artificiales. Los colorantes artificiales son utilizados para darle color a cualquier cosa, desde alimentos hasta cosméticos y medicamentos, y aun cuando muchos de ellos han sido aprobados como seguros, su uso no. Acarrean algunos riesgos reales relacionados con el cáncer. A la hora de colorear un jabón, mi consejo es dejar los colores de neón artificiales para la paleta del artista y permitir que la naturaleza coloree los jabones en forma segura y natural.

Una vez que haya ido a tales extremos para asegurar un producto puro utilizando solamente materiales finos, ¿por qué comprometerse por el solo hecho de elaborar jabones que se vean como todos los demás? Mi consejo es utilizar solamente ingredientes que le agreguen las propiedades que usted desee al producto final y dejar de lado aquellos que se relacionen con la apariencia.

LAS OPCIONES ARTIFICIALES FRENTE A LAS NATURALES

Hasta la década de 1850 sólo se disponía de los colorantes naturales para teñir. Durante miles de años se confió tanto en las tinturas vegetales, de plantas y animales como en los pigmentos minerales. Luego, en 1856, un inglés produjo en forma accidental una pálida tintura púrpura llamada malva. En la actualidad se han reemplazado los colorantes naturales casi por completo por esas tinturas sintéticas. El alquitrán de hulla, un producto derivado de la industria del carbón, es utilizado para elaborar tinturas artificiales. Los reconocemos a partir de las etiquetas con las siglas D&C (*Drugs and Cosmetics*), es decir para medicamentos y cosméticos, y colores F, D y C (*Food, Drugs and Cosmetics*), es decir para alimentos, medicamentos y cosméticos.

La Food and Drug Administration ("Dirección de Alimentos y Medicamentos") limita los porcentajes de plomo y arsénico permitidos en estas tinturas, pero no retira del mercado muchos productos sospechosos de provocar cáncer. Nosotros como consumidores somos los que debemos evaluar la pureza. Ésta es una gran responsabilidad y yo personalmente intento evaluar producto por producto. Al menos puedo controlar lo que contienen mis jabones.

Ubique la coloración de sus jabones en la parte inferior de la escala de expectativas y se sorprenderá satisfactoriamente. Los tonos terrestres apagados no son sólo los grises y de apariencia sucia: los colores de Yosemite son suaves y naturales, aunque vibrantes. Inclínese hacia efectos como éstos en sus jabones naturales.

La lejía y la coloración luchan cuerpo a cuerpo por obtener el control de la apariencia final del jabón y gana la lejía. Los jabones fraccionados en forma mecánica retienen un color más intenso, dado que el jabón se despedaza, se seca y se estabiliza antes de introducir los pigmentos. En la elaboración en frío se agrega la coloración inmediatamente antes de verter la mezcla en la matriz mientras que el jabón se encuentra todavía activo y cáustico. Una vez en la solución, los colores se modifican y empalidecen y rara vez se ven como en su estado original. Déjese llevar por la corriente y prepárese a sorprenderse sabiendo que los jabones serán seguros y únicos.

Nunca he utilizado colorantes sintéticos pero me he divertido experimentando con alternativas naturales. Las tinturas vegetales como el jugo de remolacha, el jugo de cereza o el jugo de arándano, que he utilizado con éxito en la elaboración de bálsamos labiales, fueron un fracaso en el recipiente de elaboración de jabones. Resultó ser una mescolanza opaca y parda una vez que los introduje en la lejía. Las especias molidas son maravillosas. Agregan fragancia, textura y tonos terrestres profundos. Las infusiones de hierbas y los extractos obtenidos por cocción rara vez mantienen su color original, pero por lo general crean algo interesante. Los pigmentos minerales son efectivos pero son productos naturales que no recomiendo utilizar. Otros fabricantes de jabones hasta juran sobre ellos, pero yo tengo mis reservas. El caramelo, el cacao, la harina de avena, la de maíz, la clorofila, el aceite de zanahoria, las semillas de bijol... ¡Disponemos de tantas opciones naturales!

ESPECIAS MOLIDAS Y HIERBAS AROMÁTICAS

Es en particular divertido utilizar especias molidas porque también agregan aroma y textura. La canela molida es un favorito, pero intente asimismo con clavo de olor, nuez moscada y pimienta inglesa. Los jabones que producen resultan manchados y varían desde un color caramelo a un chocolate oscuro. El curry en polvo y la cúrcuma producen un sombreado color durazno y amarillo y me han comentado que el azafrán también, aunque su costo me impide jugar con él en el jabón. La pimienta de Cayena y la páprika crean hermosos jabones color salmón. Todos estos son aún más interesantes amarmolando el color a través de la mezcla de jabón dejando vetas de color que contrasten con el fondo.

En vez de agregar el polvo de especias en forma directa sobre el jabón, que puede apelmazarse, primero bátalo en pequeñas cantidades de la mezcla de jabón o en una cucharada de aceite de oliva o de palta y luego agregue esa mezcla al lote mayor. Experimente con la gama de color que desee, desde una cucharada (15 ml) de especias hasta ¼ taza (59 ml). Si aumenta la cantidad hasta ½ taza (118 ml) para un lote de jabón de 5,45 kg, se corre el riesgo de obtener espuma con especias y se dificultaría el trabajo de limpieza.

INFUSIONES DE HIERBAS AROMÁTICAS Y EXTRACTOS OBTENIDOS POR COCCIÓN O DECOCCIÓN

Se puede hacer una infusión de hierbas aromáticas utilizando hojas o flores en polvo o trituradas mezcladas con agua mineral. Las cantidades de cada una pueden variar, aunque personalmente recomiendo comenzar vertiendo 2 ½ tazas (591 ml) de agua hirviendo en 8 a 12 onzas (de 227 a 340 g) de materia vegetal. Deje reposar la mezcla de seis a ocho horas en un envase de vidrio bien tapado y luego cuele bien. Este preparado puede elaborarse con un día de anticipación y mantenerse en el refrigerador.

HIERBAS PARA DARLE COLOR AL JABÓN

Caujaleche (raíz y flores)
Onoquiles (hojas y raíz)
Vara de San José (capítulos)
Azafrán (florescencia)
Índigo (hojas)
Glasto (florescencia)
Semillas de bijol
Ortiga (hojas)
Saúco (hojas y bayas)
Milenrrama (flores)

Para obtener extractos por cocción de raíces y cortezas se requiere de un proceso más intenso que implica dejarlas en remojo y luego hacer hervir a fuego lento las partes duras de la planta. Comience por cortar o triturar las raíces, cortezas o semillas en trozos pequeños y dejarlos en remojo en agua fría durante diez minutos. Vierta la mezcla en una olla enlosada o recipiente de vidrio y con lentitud hágala hervir. Reduzca la intensidad de calor y déjelo hervir de diez a quince minutos o hasta que la mezcla se reduzca a un cuarto aproximadamente de su volumen inicial. Cubra bien para evitar que se evapore y deje reposar de cinco a diez minutos más; luego cuele bien. Manténgalo en el refrigerador hasta el momento de utilizarlo, no más de veinticuatro horas después.

Utilice la infusión o la decocción en lugar de la misma cantidad de agua para disolver la lejía, pero espere un color menos estable que el que obtendría utilizando colorantes artificiales. Experimente y disfrute de los tonos que obtenga. Ninguna de las hierbas enumeradas en el recuadro dan un color determinado. Demasiados factores se ponen en juego: la combinación de aceites y grasas, los nutrientes y los aceites esenciales, la cantidad de hidróxido de sodio que utilice y ¡hasta el día de la semana que sea!

ACEITES VEGETALES, EXTRACTOS VEGETALES Y COMPUESTOS VEGETALES

El aceite de oliva, el de ricino, el de palma y el de germen de trigo, que enriquecen los jabones, también proporcionan un tinte suave. Los aceites esenciales de zanahoria, pachuli, puro de vainilla y corteza de casia, utilizados en un principio para perfumar jabones, también agregan un poco de color.

Asimismo, puede utilizarse una variedad de extractos vegetales para dar color y enriquecer el jabón, pero dado que no son de base oleosa, debe investigarse cada extracto en forma individual. Pida extractos solubles en aceite y no utilice los extractos solubles en agua que contienen glicol propileno. También se debe investigar acerca del método de extracción utilizado para evitar productos artificiales indeseables. Tanto el extracto de bijol como el de hollejo de uvas y el de raíz de remolacha ofrecen matices rojizos (y otros colores sorpresas que dependen de la fórmula del jabón), pero asegúrese de pedir extractos puros solubles en aceite.

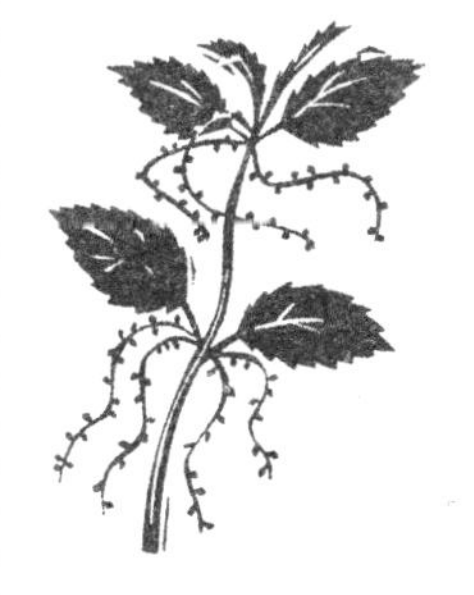

Los compuestos vegetales producen algunos colores naturales. La clorofila líquida le da a los jabones un tinte natural verde pálido. El caramelo elaborado con azúcar quemada ofrece tonos cálidos. Me han comentado que el tomate hidratado da al jabón un matiz rojizo, aunque nunca lo comprobé por mí misma.

Al dar color, recuerde que parte de la belleza del jabón se encuentra en su forma natural.

MINERALES INORGÁNICOS

Se denomina inorgánicos a los minerales extraídos de la tierra por el hecho de que nunca tuvieron vida. La mayoría de los minerales se forma a partir de los líquidos extremadamente calientes de las profundidades de la tierra. Al enfriarse, algunos de los átomos se unen para formar cristales. Transcurrido el tiempo, se unen más y más capas de átomos y forman cristales en continuo crecimiento.

Los minerales se encuentran entre las primeras sustancias utilizadas por seres humanos, pero a mí me conciernen en la elaboración del jabón. Aunque muchos fabricantes de cosméticos, incluyendo las empresas que se dedican a la elaboración natural, utilizan pigmentos minerales, yo no estoy tan convencida de su seguridad.

La mica, la pizarra, el pómez, el ocre, el dióxido de carbono, el óxido de hierro y el ultramar parecen ser utilizados en forma segura por muchos fabricantes de jabón de renombre. Sólo esté atento y tenga en cuenta mi punto de vista. Tanto la mica como el pómez contienen silicatos que, en exceso, producen enfermedades respiratorias. Se considera el ocre -mezcla de arena, arcilla y compuestos de hierro, como por ejemplo los óxidos de hierro- como un mineral seguro a menos que se ingieran los óxidos de hierro. También se considera el dióxido de titanio, otro óxido metálico, como un metal no tóxico a menos que se inhalen los óxidos de titanio en grandes cantidades. No debería considerarse el ultramar como un artículo genuino que hace tiempo derivaba de la piedra de lapizlázuli. Hoy en día se elabora calentando una mezcla de caolín, carbonato de sodio, azufre, sílice y resina a muy altas temperaturas. Nótese que cualquiera de estos minerales puede ocasionar irritación en la piel: las versiones naturales están llenas de impurezas y las versiones artificiales están expuestas a algún tipo de catálisis desfavorable.

Pigmentos perlados

Muchos fabricantes utilizan llamativos pigmentos perlados para decorar sus jabones. Los pigmentos perlados son capas microscópicas y transparentes de mica recubierta con dióxido de titanio u óxido de hierro y dispuestas en capas paralelas. Al absorberse y reflejarse la luz a través de estas capas, pueden visualizarse destellos de un brillo llamado perlado. Los colores transparentes tan particulares que vemos están determinados por el grosor de las capas de dióxido de titanio o de óxido de hierro que recubren la mica. El óxido de hierro refleja los colores amarronados más oscuros y el dióxido de titanio refleja los colores más brillantes.

Aunque el dióxido de titanio y el óxido de hierro naturales pueden llegar a ser relativamente seguros, una vez que se han retirado las impurezas, las formas particulares de dióxido de titanio y óxido de hierro que se utilizaban para elaborar pigmentos perlados son producidas en un laboratorio -no es tan simple aplicar los óxidos puros a la mica como en las versiones sintéticas-. Asimismo, existen reglas estrictas que limitan el uso de óxidos puros en los cosméticos. Para lograr colores más brillantes se agregan colorantes artificiales a muchas fórmulas de pigmentos perlados.

Algunas empresas venden versiones naturales de sus colores perlados artificiales utilizando cristales de guanina obtenidos de las escamas de arenque. Lea con detenimiento toda información; la guanina por lo general permanece en suspensión en una base altamente sintética. Si esto ocurre, es porque no se trata de una alternativa natural.

Se ha descubierto que muchos minerales son tóxicos sólo en condiciones que los fabricantes de jabón posiblemente no experimenten. No inhalamos ni ingerimos grandes cantidades de estos materiales y lo que es más, no querría absorber nada a través de la piel que fuera tóxico para otros sistemas. No me siento satisfecha con la profundidad de las investigaciones que se han llevado a cabo, y para mí los beneficios no son tan importantes como para justificar un peligro potencial. Prefiero dejar que los materiales para el cuidado de la piel que integran las fórmulas de mis jabones coloreen el producto final con tonos naturales y suaves.

Una larga historia no hace que las cosas resulten ser más seguras. Hemos utilizado erróneamente las sustancias naturales durante miles de años y luego hemos reclamado su pureza argumentando la cantidad de años en que fueron utilizados. La gente siempre se ha aclarado, oscurecido y coloreado el rostro y el cuerpo según el dictado de la moda. Desde el antiguo Egipto hasta la moderna Norteamérica, hemos prestado más atención al efecto que al resultado. En nombre de la belleza se han blanqueado los rostros, adornado los cuerpos y rostros con pinturas con plomo y disimulado las imperfecciones con pinturas y tinturas tóxicas. Tanto el hombre como la mujer de la Inglaterra del siglo XVIII se maquillaban a diario. Las pinturas con plomo eran tóxicas y producían envejecimiento a personas de veinte años. Algunos hasta murieron a causa de intoxicaciones de plomo.

Mi recomendación es dejar los pigmentos minerales para la cerámica y mantenerlos alejados de la piel, que absorbe rápidamente tanto lo beneficioso como lo perjudicial.

CAPÍTULO 6
Nutrientes

Un nutriente es un ingrediente que se incorpora a la fórmula no sólo por su capacidad de hacer jabón sino por las propiedades que posee para el cuidado de la piel. Algunos nutrientes son emolientes, otros son acondicionadores. Algunos estimulan la piel, otros la curan. Unos pocos nutrientes evitan que los otros ingredientes se echen a perder y a la vez ofrecen vitaminas para la piel y atraen la humedad. Muchos jabones resecan, pero los nutrientes orgánicos pueden revertir esta situación creando un jabón que limpie bien y humecte.

Algunos nutrientes, como la avena, el aloe vera o la clorofila, son Agregados a la mezcla de jabón inmediatamente antes de verterla. El aceite de coco, ricino, palta, de almendra dulce y de oliva trabajan doble turno. Son nutrientes pero también participan en la saponificación.

Cualquier ingrediente que saponifique puede agregarse en mayor cantidad desde un principio al proceso de elaboración de jabón o en menor cantidad inmediatamente antes de agregar los aceites esenciales. Por ejemplo, el aceite de hierba del asno se saponifica y puede utilizarse como principal aceite en el proceso de elaboración del jabón como reemplazo de una parte de uno de los otros aceites, pero la mayoría de las personas lo encuentran un tanto costoso para utilizarlo en grandes cantidades, y en cambio agregan unas pocas cucharadas (4 cucharadas [59 ml] por cada lote de 5,45 kg) al finalizar el proceso. Si se incorpora demasiado líquido al final del proceso de elaboración de jabón, los jabones se desharán más tarde.

Aunque una gran cantidad de nutrientes ofrece los mejores beneficios, aun si se agrega una cantidad menor al final, será suficiente para enriquecer el jabón. La receta básica para la elaboración de jabón debe estar repleta de aceites beneficiosos como el de oliva, de coco y de palta, por lo que unas pocas cucharadas de nutrientes constituyen una dosis extra. Cuando se agregan los nutrientes una vez que el jabón se ha saponificado, éstos permanecerán sin saponificar en el producto final, dando como resultado un jabón supergraso.

ACEITE DE ALMENDRA DULCE

Usos / Beneficios: El aceite de almendra, que se obtiene del fruto del árbol de almendra, es un excelente emoliente, reconocido por sus propiedades suavizantes, calmantes y acondicionadoras de la piel. Se saponifica con facilidad y produce un jabón suave, de

espuma abundante. Dado que es bastante costoso, el aceite de almendra por lo general representa sólo un pequeño porcentaje del total de aceites utilizados en una fórmula.
Cantidad / Procedimiento: Un poco rinde bastante y se necesita una cantidad relativamente pequeña para elaborar un jabón superior. Este nutriente puede saponificarse en grandes cantidades como aceite para la elaboración de jabón agregado desde un principio junto con los otros aceites, o pueden agregarse 4 cucharadas (59 ml) por cada 5,45 kg de jabón inmediatamente antes de agregar los aceites esenciales.

ALOE VERA

Usos / Beneficios: La savia o el gel que se encuentra en las carnosas hojas de aloe vera contiene un agente curativo efectivo para el tratamiento de quemaduras, heridas y acné. Este gel fresco y transparente alivia y humecta a la vez que estimula el crecimiento de células y tejido nuevo con esteroides, enzimas y aminoácidos.
Cantidad / Procedimiento: Para incorporar el gel de aloe vera al jabón, agregar 4 cucharadas (59 ml) a un lote de 5,45 kg inmediatamente antes de agregar los aceites esenciales. Asegúrese de utilizar solamente puro gel de aloe vera fresco porque los conservantes y aditivos artificiales destruyen las propiedades reconstructivas. Aun tomando todas las precauciones, tenga en cuenta que el calor del período de estacionamiento puede quitarle al gel de aloe vera algunas de sus propiedades curativas.
Advertencia: Tenga en cuenta que el gel de aloe vera irrita la piel de algunas personas -yo soy una de ellas-. Puede producir picazón; por ello, pruebe primero el gel en una pequeña zona de la piel antes de usarlo en el jabón.

ACEITE DE PALTA

Usos / Beneficios: El aceite de palta es terapéutico. Contiene vitaminas A, D y E, proteína, carbohidratos, aminoácidos, clorofila y glicéridos de muchos aceites grasos. Asimismo, contiene un alto porcentaje de elementos no saponificables -esas porciones de aceite que no se descomponen durante la saponificación y se cree que poseen propiedades suavizantes-. La piel absorbe con facilidad el aceite de palta y responde bien a sus propiedades curativas; se ha comprobado que regenera las células de la piel y que suaviza los tejidos.
Cantidad / Procedimiento: Reemplace una parte (de un cuarto a un tercio) de grasas y aceites con aceite de palta o incorpore 4 cucharadas (59 ml) por cada 5,45 kg de jabón inmediatamente antes de agregar los aceites esenciales.

BÁLSAMO DE COPAIBA

Naturaleza: Cierta confusión rodea esta oleorresina natural extraída de los árboles en la selva húmeda del Amazonas. Se dice que los nativos del Amazonas han utilizado esta "savia" desde hace mucho tiempo para curar y aliviar. Las empresas promocionan el bálsamo de copaiba y el aceite de copaiba (el aceite que se obtiene del bálsamo de copaiba) como un producto que cura heridas y suaviza la piel.

Me intriga la historia de este obsequio de la Naturaleza pero no estoy segura de sus propiedades para el cuidado de la piel. Durante años ha sido utilizado como combustible orgánico; en pinturas, barnices, plásticos y procesamiento fotográfico; como diurético y laxante y como fijador de fragancias en jabones y perfumes.

Usos / Beneficios: A medida que fui investigando esta oleorresina y el aceite, sus componentes químicos resultaban más semejantes a un aceite esencial o una fijador que a un aceite graso (según la opinión de un lego). Parecen ser apropiados para utilizarlos como fragancias o fijadores: así como el aceite de árbol del té, tanto el bálsamo de copaiba como el aceite de copaiba podrían utilizarse para perfumar cosméticos, porque ofrecen una fragancia agradable. Asimismo pueden utilizarse como fijadores en cosméticos, perfumes, jabones y lociones.

Aunque el bálsamo de copaiba posee propiedades beneficiosas para el cuidado de la piel, al quitarles a los árboles la resina, se reduce su fuente de vida y al poco tiempo mueren. Personalmente opto por otra de las tantas fuentes curativas porque ésta no puede reponerse.

ACEITE DE CALÉNDULA

Naturaleza: La caléndula, también conocida como maravilla, es una hierba de cuya florescencia se extrae el aceite de caléndula, conocido por sus propiedades benéficas para el cuidado de la piel. Para obtener beneficios terapéuticos, asegúrese de utilizar solamente el aceite puro extraído sin solventes.

Usos / Beneficios: Se ha comprobado que las propiedades regeneradoras y antiinflamatorias del aceite de caléndula son efectivas para curar una variedad de heridas. El aceite fomenta la curación de heridas, quemaduras y tejidos, y suaviza y alivia la piel seca y agrietada.

Cantidad / Procedimiento: Agregar 4 cucharadas (59 ml) por cada 5,45 kg de jabón inmediatamente antes de agregar los aceites esenciales. Dado que el aceite de caléndula se saponifica, puede incluirse desde el principio del proceso, sustituyendo una parte de los otros aceites que intervienen en la elaboración del jabón, pero resulta costoso si se lo utiliza en grandes cantidades.

Regulaciones confusas han empañado la clasificación de algunos ingredientes; el aceite de caléndula puede encontrarse como extracto de caléndula. Asegúrese de solicitar el extracto soluble en aceite y no el extracto elaborado con glicol propileno.

ACEITE DE ZANAHORIA, ACEITE DE SEMILLA DE ZANAHORIA Y ACEITE DE GERMEN DE TRIGO

Usos / Beneficios: Busque aceite de zanahorias y de germen de trigo, ricos en vitaminas, en el lugar donde compra los aceites esenciales puros de alta calidad. Cada uno de estos aceites ofrece vitaminas especiales y, de acuerdo con sus propias necesidades, todos ellos suavizan la piel y no se echan a perder. El aceite de germen de trigo (que posee un alto contenido de vitamina E) inhibe el proceso de oxidación en la parte no saponificada del jabón. También contiene caroteno y lecitina vegetal, que nutre las células de la piel y evita la pérdida de humedad.
El aceite de semilla de zanahoria posee un alto contenido de beta caroteno y vitamina A; el aceite de raíz de zanahoria es una mezcla altamente concentrada de vitaminas A, E y provitamina A. La vitamina A alivia la piel seca y agrietada y estos dos aceites son buenos antioxidantes. Asimismo estimulan la glándulas sudoríparas y las glándulas sebáceas que actúan para balancear el contenido de humedad de la piel. Los aceites de zanahoria son costosos, en particular el aceite de raíz de zanahoria, pero una pequeña cantidad rinde bastante y son muy efectivos.
Cantidad / Procedimiento: Utilice estos aceites en cantidades no inferiores al 0,5 por ciento del peso total de los ingredientes para obtener resultados satisfactorios. He utilizado hasta un 5 por ciento para obtener el máximo de los beneficios. Agregue estos aceites vitaminados a las grasas y aceites inmediatamente antes de agregar la lejía, asegurándose de que se incorporen por completo. Una opción puede ser agregarlos al final del proceso de elaboración de jabón, pero las propiedades antioxidantes rinden al máximo cuando las vitaminas pueden tener un contacto directo con las grasas y los aceites: las fuentes potenciales de ranciedad.

ACEITE DE RICINO

Usos / Beneficios: El aceite de ricino, como el de palta, es un elemento activo en el producto final. Este aceite viscoso y espeso suaviza y lubrica y es absorbido con rapidez por el cuerpo. Ante su presencia, otros materiales, no tan fáciles de absorber, pueden ser absorbidos con mayor facilidad. Esto representa una ventaja si los otros ingredientes son puros y terapéuticos. No obstante, tenga en cuenta que el aceite de ricino no hace distinciones y puede llevar una sustancia artificial a cualquiera de los órganos.

Cantidad / Procedimiento: Reemplace una parte (de 0,1 a 0,2 por ciento) del total de grasa y aceites por el aceite de ricino o incorpore por completo 4 cucharadas (59 ml) por cada 5,54 kg de jabón inmediatamente antes de agregar los aceites esenciales. Si se agrega un porcentaje demasiado alto de aceite de ricino, producirá un jabón suave y transparente.

ARCILLA

Naturaleza: Las arcillas son combinaciones de minerales finamente triturados que se encuentran en el suelo terrestre. Existen muchos tipos de arcillas, pero muchas son demasiado toscas como para ser utilizadas en un producto para el cuidado de la piel. Las dos más comunes son el caolín y la bentonita. Contienen sílice, aluminio, hierro, calcio, magnesio, zinc y potasio.

Usos / Beneficios: Las arcillas son utilizadas para el cuidado de la piel, en máscaras que extraen el exceso de secreción sebácea, toxinas y suciedad. La arcilla limpia los poros obstruidos y fomenta una secreción más regular. Esto deja la piel más receptiva a la humedad natural, libre de excesos. No obstante, soy bastante escéptica respecto de la efectividad de la arcilla en el jabón. Con una presencia muy diluida de arcilla en una jabón y dado que la espuma se enjuaga con rapidez, me pregunto cuántos elementos de desecho es capaz de absorber.

Unos pocos fabricantes de jabón agregan arcilla a sus jabones por sus propiedades astringentes y limpiadoras. Se ha comprobado que las arcillas limpian todo tipo de piel, aunque parecen ser más apropiadas para personas de piel grasa. Personalmente considero que resecan demasiado como para combinarlas y que secan la piel cuando se las utiliza con regularidad.

Tipos / Disponibilidad: De todas las arcillas disponibles, cada una contiene su propia y única combinación de minerales. La arcilla blanca o caolín contiene un alto porcentaje del mineral caolinita y es utilizada en una cantidad de cosméticos. Es la arcilla más pura de todas; a las otras con frecuencia las colorean en forma artificial. La arcilla verde o bentonita, también conocida como montmorillonita o arcilla francesa verde, contiene un alto porcentaje del mineral montmorillonita. La bentonita es resbaladiza al tacto, puede absorber grandes cantidades de agua y es la arcilla que se utiliza comúnmente en las mascaras faciales. Estabiliza la producción de secreción sebácea y purifica la piel.

Cantidad / Procedimiento: Para aquella persona que desea experimentar, la arcilla debe agregarse al jabón inmediatamente antes de verter la mezcla en las matrices utilizando de ½ a 1 taza (de 118 ml a 237 ml) por cada lote de 5,45 kg de jabón.

Antes de agregar los aceites esenciales puros, mezcle la arcilla con

2 tazas (473 ml) de la mezcla de jabón en un recipiente pequeño. Luego una esta mezcla de arcilla y jabón con el resto del lote, revolviendo con energía. Proceda a colocar la fragancia, si así lo desea.

Advertencia: Los minerales derivados naturalmente, a causa de la ingesta de una dieta bien balanceada, les ofrecen a la piel lo que necesita para funcionar con normalidad. Los minerales que se obtienen del suelo también pueden extraer los elementos tóxicos del cuerpo, pero tengo las mismas reservas con este tema que con colorantes minerales: aún se encuentran en discusión la pureza y conveniencia de los minerales con referencia al cuidado de la piel.

Las arcillas contienen silicatos y sílice libre, que se presume que causan problemas de salud. Cuando el sílice no se encuentra unido a otros minerales formando un compuesto, se la denomina sílice "libre". Es este sílice sin unir el que parece ser peligroso. Los ceramistas que están expuestos a estos materiales han experimentado una variedad de enfermedades, desde dificultad al respirar hasta una mayor incidencia de infecciones y casos de silicosis, que presenta un cuadro con síntomas similares al asma. La caolinosis, una "obstrucción" de los pulmones causada por la inhalación de grandes cantidades de polvo de caolín, también es causada por el sílice "libre" que se encuentra en esos minerales, al introducirse en los pulmones y no desintegrarse. Se forma un nuevo tejido pulmonar sobre el sílice libre, y a medida que se va inhalando más cantidad de sílice libre y se va formando más tejido pulmonar, el pulmón se tapona a causa de esta formación.

El uso es muy diferente de la inhalación, pero aun así no deseo absorber ningún material a través de la piel que sea tóxico para los pulmones. No considero que el efecto a largo plazo esté suficientemente bien entendido como para arriesgarme.

ACEITE DE HIERBA DEL ASNO, ACEITE DE BORRAJA Y ACEITE DE ROSA MOSQUETA

Naturaleza: El aceite de hierba del asno, extraído de las flores de esta hierba, posee un alto contenido de ácido linoléico y, lo que es más importante, ácido gama-linoléico. El fruto que se encuentra dentro de los pimpollos de rosa es pequeño y ovoide, y el aceite extraído de una especie en particular, la rosa mosqueta, resulta un aceite rico en ácidos grasos esenciales llamado aceite de rosa mosqueta.

El aceite de borraja, aceite esencial extraído de las hojas de la planta de borraja, posee porcentajes aún mayores de ácido gamalinoléico. El cuerpo humano no produce estos ácidos grasos esenciales (también conocidos como vitamina F), es por eso que debemos

asegurarnos de incluir estos nutrientes en las dietas y en los productos para el cuidado de la piel.
Usos / Beneficios: Los ácidos grasos esenciales son únicos porque le ofrecen a la piel y a todo el cuerpo una amplia gama de beneficios. Los aceites de hierba del asno, borraja y de rosa mosqueta son absorbidos con facilidad por la piel, fomentanto el transporte de esos ácidos grasos esenciales.
Los ácidos grasos esenciales inhiben el crecimiento bacteriano y fomentan la producción de anticuerpos, permitiendo que los órganos se defiendan de infecciones e inflamaciones. Asimismo se combinan con proteínas y colesterol para formar membranas que unen células entre sí. Se cree que la pérdida de agua que origina eczemas, caída de cabello y piel seca, está relacionada en parte con bajos niveles de ácidos grasos esenciales. Los aceites vegetales con alto porcentaje de ácidos grasos esenciales alivian inflamaciones y comezones, humectando la piel y el cuero cabelludo y sirven de tratamiento para la piel agrietada y contra la caspa (ver definición de ácidos grasos esenciales). Estos tres aceites son más apropiados para pieles secas y las personas de piel grasa no deberían utilizarlos.
Cantidad / Procedimiento: Aunque se pueden saponificar como cualquiera de los aceites presentes en la elaboración de jabón, su alto costo es limitativo. Una pequeña cantidad rinde bastante, por lo tanto, agregue 4 cucharadas (59 ml) de alguno de los aceites a una mezcla de jabón de 5,45 kg inmediatamente antes de agregar los aceites esenciales.

ACEITE DE JOJOBA

Usos / Beneficios: El aceite de jojoba es en realidad una cera líquida que se solidifica por debajo de los 10ºC. La capacidad de ofrecer las características propias de un aceite y de una cera hace de la jojoba un aceite efectivo entre los aceites, las cremas, las mantecas, los champúes y los jabones. Asegúrese de comprar aceite de jojoba puro y no la imitación artificial, o perderá todas las propiedades para el cuidado de la piel. El aceite de jojoba resiste la ranciedad y por lo tanto es altamente estable en jabones como un material no saponificable y supergraso.
Personalmente utilizo el aceite de jojoba en cremas, champúes en pan y en algunos de mis jabones. Dentro de cada producto sirve como hidratante y humectante. Tanto la piel como el cuero cabelludo se benefician a través de su lubricación no grasa y de su capacidad de mantener la humedad natural a la vez que atrae la humedad del medio ambiente.
La piel saludable recibe una cuota extra de secreción sebácea que lubrica y suaviza la piel y atrapa las bacterias que luego son eliminadas por medio del jabón. El aceite de jojoba contiene cuatro

veces más ésteres de los que se encuentran en la secreción sebácea del cuerpo humano. Cuando la piel es exigida más allá de sus límites, el aceite de jojoba ayuda a mantener las funciones normales, a la vez que le da a la piel una oportunidad de reconstruirse y retornar a su equilibrio. Una fina capa de aceite de jojoba puede regular el flujo de secreción sebácea natural al tiempo que controla la evaporación y la sequedad.

Cantidad / Procedimiento: Agregue aceite de jojoba como un porcentaje de los materiales para la elaboración del jabón durante la mezcla inicial de grasas y aceites o bien incorpore 4 cucharadas (59 ml) por cada 5,45 kg de jabón inmediatamente antes de agregar los aceites esenciales. Para obtener un producto de calidad superior, lleve a cabo ambos procedimientos, pero tenga en cuenta su alto costo. Asimismo, si debe elegir utilizar el aceite de jojoba como reemplazo de una parte de las grasas y aceites, tome nota de su muy bajo índice de saponificación y modifique la cantidad de hidróxido de sodio en consecuencia (ver "Tabla de índices de saponificación para calcular hidróxido de sodio").

ACEITE DE SEMILLA DE KUKUI

Naturaleza: El árbol del kukui es el árbol nacional de Hawai. Dentro de su fruto se encuentran las semillas y los carozos de donde se extrae el aceite de semilla de kukui. Durante cientos de años los hawaianos han utilizado este aceite no graso como tratamiento para aliviar quemaduras producidas por el sol y para la piel agrietada. El aceite de semilla de kukui es rico en ácido linoléico y ácido linolénico, ácidos grasos esenciales que son muy saludables para la piel. Este aceite es absorbido con facilidad por la piel.

Usos / Beneficios: Las investigaciones han demostrado que el aceite de semilla de kukui es bueno para el tratamiento de eczemas, psoriasis, quemaduras de sol y piel agrietada.

Cantidad / Procedimiento: El aceite de semilla de kukui es costoso, pero una pequeña cantidad rinde bastante. Tan sólo 4 cucharadas (59 ml) agregadas a 5,45 kg de jabón inmediatamente antes de incorporar los aceites esenciales, le agrega riqueza a sus jabones. Es aún más provechoso si se agrega un porcentaje mayor de aceite de semilla de kukui al resto de los aceites base: 10 por ciento del total de aceites produce un jabón notable.

AVENA TRITURADA/ MIEL, MAÍZ PISADO, SEMILLAS DE LINO MOLIDAS, ENEBRINA TRITURADA, ALFALFA TRITURADA, JOJOBA TRITURADA, ALGAS MARINAS TRITURADAS

Naturaleza: Nuestra piel necesita purificarse periódicamente. Si la piel funciona con normalidad, las glándulas sudoríparas y sebáceas liberan el cuerpo de residuos y toxinas. También atrapan agentes contaminantes externos sobre la superficie de la piel en una barrera de secreción sebácea y sudorípara. Nuestra tarea consiste en llevar a cabo este trabajo con regularidad.

Los exfoliantes son materiales con texturas irregulares utilizados para liberar los desechos que se acumulan en la superficie de la piel. Le agregan un poco de textura a la espuma del jabón, aumentando sus propiedades limpiadoras: la espuma granulosa remueve la suciedad y las células inertes de piel al mismo tiempo estimulan las células saludables de la capa inferior. Siempre incluya algunos nutrientes humectantes (aceite de almendra dulce, manteca de galam, aceite de jojoba) en las fórmulas, para evitar irritaciones y sequedad. Al utilizar exfoliantes, nunca frote con fuerza. El jabón y un tanto de textura irán desprendiendo los desechos sin necesidad de ejercer ninguna presión extra.

Usos / Beneficios: Tanto la avena molida como el maíz pisado, las semillas de lino, la enebrina, la alfalfa, la jojoba y las algas marinas trituradas pueden ser agregadas a un jabón para darle textura. La avena, jojoba y alfalfa trituradas son exfoliantes suaves. La enebrina, las algas marinas y las semillas de lino molidas son más gruesas y tienen bordes puntiagudos. Por eso muélalos finamente antes de agregarlos al jabón como exfoliantes.

Mi jabón preferido es el de avena y miel. La avena triturada limpia en profundidad y con suavidad los desechos, al mismo tiempo que la miel hidrata y alivia la piel. La miel también humecta e inhibe el crecimiento de bacterias. Caliente un poco la miel en un recipiente con agua tibia (no caliente) para aumentar la solubilidad. Dado que sus ingredientes activos son destruidos ante la exposición a altas temperaturas, incorpore la miel inmediatamente antes de agregar los aceites esenciales.

Cantidad / Procedimiento: Se sugiere agregar de ½ taza a 1 taza (118 ml a 237 ml) de ingrediente triturado por cada lote de jabón de 5,45 kg, aunque estas cantidades fueron establecidas por gusto personal. Agregue los exfoliantes inmediatamente después que el jabón se haya saponificado. Revuelva bien para evitar que se apelmace, o bien agregue primero el ingrediente triturado en 2 tazas (473 ml) de mezcla de jabón en un recipiente aparte y luego incorpore la mezcla de ingrediente triturado y jabón de vuelta en el lote de jabón.

Para elaborar un jabón a base de avena y miel, primero mezcle la avena triturada y luego incorpore no más de 4 cucharadas (59 ml) de miel tibia por cada lote de jabón de 5,45 kg, y finalmente agregue los aceites esenciales. Mezcle con rapidez y por completo para evitar una sobrecarga de líquido y una rápida fusión dentro de la cuba de elaboración de jabón.

Las algas marinas trozadas, en especial de litotamnio calcáreo, pueden utilizarse como exfoliantes en los jabones. Lea el próximo apartado acerca de las algas marinas y sus propiedades beneficiosas. Mezcle de 1 a 2 tazas (237 ml a 473 ml) de algas marinas trituradas por cada 5,45 kg de jabón inmediatamente antes de agregar los aceites esenciales puros.

ALGAS MARINAS (*ALGAE*)

Naturaleza: Existen miles de especies de algas marinas y muchas de ellas han sido utilizadas en la elaboración de cosméticos a causa de sus nutrientes. Dado que el suero de la sangre es tan similar al alga marina, químicamente muchas de las vitaminas y minerales que necesitamos se encuentran en el agua de mar y en las plantas marinas: desde vitaminas A, B, C, D, E, F y K, hasta el yodo, magnesio, cobre, zinc, hierro, calcio, fósforo, nitrógeno y magnesio. Las algas marinas poseen muchas más vitaminas y minerales que las plantas terrestres. Proporcionan propiedades terapéuticas: las algas marinas atraen y retienen la humedad haciendo excelentes humectantes; se las utiliza como regeneradoras de células para aliviar y curar la piel, y actúan como antioxidantes.

OTRAS MANTECAS EXÓTICAS

A medida que vaya experimentando con la manteca de galam en sus jabones, deseará también investigar otras mantecas exóticas como la Dhupa, Kukom, Mango, Mowrah, Sal e Illipe.

Usos / Beneficios: Desafortunadamente las algas marinas no liberan de inmediato los nutrientes durante el proceso en frío de elaboración del jabón. Las algas marinas, tanto en trozos como en harina, deben agregarse para dar textura y diseño, pero espere que contribuyan al valor nutritivo del jabón. Los extractos de algas marinas sí ofrecen nutrientes concentrados, pero sólo en una base soluble en agua o de glicol propileno, y ninguno de los dos tipos de base sirve para la elaboración en frío del jabón.

MANTECA DE GALAM

Naturaleza: La manteca de galam, también conocida como manteca karite africana, es extraída del fruto del árbol de la manteca africana de galam, que crece en África Central. Esta manteca ha sido utilizada como alimento y para el cuidado del cuerpo. Es extremadamente alta en elementos saponificables, hasta un 11 por ciento, lo que hace de ella un material muy graso de calidad superior para la elaboración del jabón. Los elementos insaponificables son los compuestos de la grasa o del aceite que no se descomponen y se combinan con el hidróxido de sodio para formar jabón, de esta manera permanecen en su estado original dentro de los panes de jabón, capaces de humectar y nutrir la piel.

Usos / Beneficios: La manteca de galam es lo suficientemente suave como para usar en bebés y personas de piel sensible. Alivia y suaviza la piel seca y agrietada al mismo tiempo que nutre todo tipo de piel. He llegado a confiar mucho en la manteca de galam debido a su efectividad.

Cantidad / Procedimiento: Agregar manteca de galam (de un 2 a un 5 por ciento del total de grasas y aceites) al comienzo del proceso de elaboración de jabón al aceite de coco aún tibio. Luego agregar esta mezcla a los otros aceites vegetales. Para unirla al final del proceso, incorpore 4 cucharadas (59 ml) de manteca de galam derretida y enfriada a aproximadamente 24ºC inmediatamente antes de agregar los aceites esenciales.

ECODERMINE

Sederma, una empresa establecida en Francia y una de las primeras en introducir la manteca de galam, ha patentado un producto llamado Ecodermine, que es una combinación de glicerina y alcoholes de azúcares. Ecodermine fue creado para equilibrar la "microflora" de la piel, una comunidad de microorganismos residentes (beneficiosos) y parasitarios: la flora residente no puede asimilar estos alcoholes de azúcar y hasta se cree que inhiben su población.

Los factores ambientales, el uso de cosméticos no apropiados y la limpieza excesiva pueden reducir la flora beneficiosa, permitiendo que la flora parasitaria se multiplique con rapidez y marque sus dominios dejando la piel sin defensa alguna. Ecodermine fue creado para alimentar las bacterias benéficas de la piel, dejando menos espacio para microorganismos externos parasitarios que secan y exponen la piel a los elementos.

Sederma sugiere utilizar de 1 a 5 por ciento de Ecodermine en los jabones, pero el fabricante de jabones en frío tendrá complicaciones al incorporar una cantidad cualquiera de Ecodermine al comienzo del proceso, porque la lejía probablemente destruirá la integridad del producto, dejando así unas pocas, propiedades benéficas en el producto final. Unas pocas cucharadas incorporadas al final del proceso pueden resultar de poco beneficio para los jabones. Dado que Ecodermine es un producto relativamente nuevo, existe poca información para evaluar, pero sugiero que siga detenidamente los informes sobre su efectividad. Los estudios iniciales son intrigantes.

HISTORIA DE UN FABRICANTE DE JABÓN

Jane Hawley / Nature's Acres

Con un diploma en horticultura y doce años de especialización en el cultivo y venta de hierbas aromáticas, Jane Hawley elabora en la actualidad productos para el cuidado personal, que contienen plantas cultivadas en forma orgánica y sus propiedades medicinales. "Deseamos que puedan sentir amor y respeto por nuestra tierra y por sus poderes rejuvenecedores de la forma en que fluyen del jardín hacia ustedes", les escribe Jane a sus clientes. Su empresa está ubicada sobre 52 hectáreas en Baraboo Bluffs, Wisconsin, lugar que se considera el yacimiento más antiguo de cuarcita del mundo formado tal vez hace mil quinientos millones de años.

Jane utiliza hierbas aromáticas, aceite de oliva y de almendra, cera de abejas, vitamina E, aloe, raíz de consuelda y aceites esenciales puros como el de melisa, pachuli, geranio de rosa, lavanda y menta extraídos de las cosechas de los campos y bosques de los alrededores en sus jabones, sales de baño, aceites para el cuerpo, bálsamo labial, tónicos, ungüentos y humectantes. Sus jabones para el cuidado de la piel contienen hierbas curativas que ella misma cultiva: jabón de menta y aloe, que es un jabón estimulante y astringente con propiedades curativas; el jabón de romero y avena para una limpieza profunda; el jabón de lavanda y vitamina E para reparar la piel sobreexpuesta y que también actúa como desodorante; y el jabón de almendra y salvia para limpiezas profundas, que es un exfoliante con propiedades antisépticas. Todos estos jabones están coloreados solamente con los colores moteados de las hierbas desecadas.

Jane le ha transferido a otros fabricantes de jabón dos adaptaciones creativas que ella misma ha desarrollado: para darle marco al jabón, ha diseñado matrices de laterales separables que pueden retirarse de la pieza inferior para permitir un fácil acceso y así poder fraccionar los panes. Como herramienta cortante, utiliza un trozo de metal galvanizado con forma de L que atrajo su atención por primera vez cuando su hijo de cinco años se encontraba registrando el sótano.

CAPÍTULO 7
Conservantes

La descomposición es inevitable. Podemos retrasarla pero no detenerla. Se define a los conservantes como algo que protege de la descomposición, aunque la naturaleza diga que todo debe descomponerse. Al combatir a la propia naturaleza utilizando conservantes, podremos llegar a matar determinadas bacterias y retardar su posterior desarrollo, pero aun los conservantes más potentes no pueden detener la descomposición.

La vida útil, más por comodidad que por otra cosa, nos dicta los ingredientes de los productos. Se espera que un producto para el cuidado de la piel supere cualquier tipo de inconveniente: puede permanecer almacenado por unos meses, puede ser transportado y luego permanecer en el depósito de otra persona, puede quedarse en las estanterías de una tienda por seis meses y el consumidor puede abrirlo una vez transcurridos otros tres meses. Los fabricantes exigen que esos productos duren por años en forma estable y les agregan la suficiente cantidad de conservantes artificiales para asegurar una larga vida útil. Pero los estudios han demostrado que las bacterias continúan desarrollándose, sólo que los conservantes químicos más fuertes, los colorantes y fragancias disfrazan la descomposición. No nos beneficiamos con la pureza verdadera, pero aun así sufrimos los efectos de las toxinas que no discriminan.

CONSERVANTES ARTIFICIALES QUE DEBEN EVITARSE

- Formaldehído (en forma de MDM hidantoína)
- Inidazolidinil urea (conocido como Germall)
- Fenoxietanol (compuestos fenólicos y de fenol)
- Captan
- Ácido bórico
- Hidroquinona
- Triclocarban
- Irgasan DP300
- Bromuro de trimetilaquil amonio
- BHT (butil hidroxitolueno)
- BHA (butil hidroxianisol)
- EDTA cálcica disódica
- DHA (ácido dihidroxiacético)
- TBHQ

Como fabricantes de jabón, podemos controlar lo que colocamos en los jabones. Podemos elegir no utilizar conservantes y dejar solamente el mayor potencial, y limitaciones, de los jabones. Podemos utilizar conservantes naturales que les agregan nutrientes al jabón al mismo tiempo que inhiben la descomposición. Aquí también debemos aceptar una descomposición eventual, pero nos ofrece un producto de calidad superior.

De otra forma podemos elegir conservantes artificiales que pueden ofrecer protección por un tiempo más prolongado pero a un alto precio. Esta lista de conocidos conservantes cancerígenos sigue extendiéndose. La piel, que absorbe con rapidez al aceite de borraja, absorbe con la misma rapidez las toxinas. Un conservante lo suficientemente fuerte como para matar algunas bacterias también mata la bacteria benéfica de la piel. Finalmente, los nutrientes activos elegidos con tanto cuidado por su capacidad de interactuar con la células, los tejidos y el medio ambiente, son debilitados, y hasta aniquilados, ante la presencia de conservantes artificiales más fuertes. La elección es nuestra.

Aunque les proporciono una lista de conservantes artificiales que deben evitarse en forma contundente, no aconsejo el uso de ningún conservante artificial y por lo tanto no proveo información acerca de su uso. Todas mis investigaciones me han desanimado a seguir experimentando con conservantes artificiales, de manera que no me siento cómoda recomendando ninguno de ellos.

CONSERVANTES NATURALES

Dado que el conservante ideal no existe, prefiero los conservantes naturales conociendo sus limitaciones y esperando de ellos solamente resultados razonables. Prolongan la vida útil del jabón por unos pocos meses sin alterar los otros ingredientes y sin causar reacciones alérgicas. También ofrecen propiedades para el cuidado de la piel.

La gente está ansiosa por saber más acerca de los productos naturales, de sus limitaciones y propiedades. Será gratamente sorprendido al ver cuán receptivas resultan ser otras personas al enterarse de lo que debe esperar de sus productos para el cuidado de la piel. Una vez que la gente comprende qué es lo que hace a un producto más puro y seguro, están dispuestos a acomodarse sus características. Aprenden a comprar cantidades menores y a terminar el producto antes de reponerlo. En caso que un jabón se eche a perder (lo que no es común), aceptan desecharlo como parte del precio por su pureza y seguridad.

Los jabones elaborados en frío son más vulnerables a echarse a perder que los jabones elaborados a través de otros métodos, porque por lo general son supergrasos (es decir, elaborados con exceso de aceites) para obtener suavidad. Hacia el final del proceso de saponificación, la lejía es utilizada por completo antes que el aceite, dejando un poco de aceite fuera de la solución en el producto final. Este libre de grasa humecta y alivia, pero también causa deterioro. Los aceites son más estables en soluciones.

Los aceites y nutrientes libres, como el aloe vera y la miel, son ingredientes activos, beneficiosos por sus propiedades orgánicas en el producto final. Una vez que estos ingredientes completan sus ciclos vitales, sobreviene la descomposición en forma inevitable, un hecho que debemos comprender y apreciar.

Forma de elegir un conservante

Un fabricante de jabón elige un conservante por sus propiedades antioxidantes y antimicrobianas. Cuando las moléculas de oxígeno logran romper sus uniones y trasladarse libremente a través del aceite o grasa, se combinan con otras moléculas y de esta forma alteran la estructura del jabón. Esto es lo que se llama oxidación, es decir, el primer paso hacia la descomposición, decoloración y disminución del valor nutritivo. Cuando se lleva a cabo una oxidación, el jabón mostrará signos visibles de deterioro: aparecen pequeños círculos amarillentos. Aparecerá sólo uno al principio y, transcurridas unas cuantas semanas, una mayor cantidad de ellos sobre la superficie del jabón. Luego se desprenderá un olor típico del primer ciclo de ranciedad.

Los antioxidantes reducen bastante este proceso uniéndose con las moléculas "sueltas" de oxígeno, haciéndolas menos destructivas y por lo tanto prolongando la vida útil del jabón. Los conservantes antimicrobianos retardan el desarrollo de bacterias en el jabón, pero no pueden prevenirlo.

No existe ninguna fórmula estricta que determine qué conservantes naturales agregar a los jabones ni en qué cantidad; muchos factores influyen en su eficacia. Debe experimentarse con ellos para determinar cuál de ellos actúa mejor en su fórmula personal.

El libro más útil que he leído acerca de este tema es *Natural Organic Hair and Skin Care* (*El cuidado natural y orgánico del cabello y la piel*), de por Aubrey Hampton, toda una autoridad en cosmética orgánica y fundador de Aubrey Organics. Durante años él, junto con otros investigadores, han probado una variedad de conservantes, incluyendo los aceites esenciales puros, los extractos y aceites de semillas de cítricos, vitaminas, tocoferoles y el aceite de semilla de zanahoria. Sus resultados han sido sorprendentes y precisos. En la actualidad incluyo una combinación de unos pocos de estos nutrientes en mis jabones y han prolongado su vida útil por meses. Actualmente un jabón común permanece en buenas condiciones hasta por un año. Más de un año es más de lo que debiéramos esperar de un producto natural.

Algunas observaciones: Los aceites cítricos tienden a ponerse rancios; el ácido ascórbico, que es vitamina C soluble en agua, es casi imposible de encontrar en forma natural y también sobrerreacciona ante el hidróxido de sodio en la solución de lejía, tornándola oscura y desagradable; la forma soluble en aceite de vitamina C, palmitato de ácido ascórbico, que puede incorporarse en las grasas y aceites, siempre es artificial; y el retinol, que naturalmente deriva de la vitamina A, prácticamente ha sido reemplazado por la versión sintética. No es muy frecuente conseguir retinol en su forma natural y su costo es prohibitivo.

CAUSAS DE LA RANCIEDAD EN LOS JABONES

La ranciedad está relacionada con muchos otros factores. Los aceites y grasas no saturadas son por lo general más propensos a ponerse rancios. Un jabón suave, utilizando una cantidad mínima de hidróxido de sodio para obtener una saponificación incompleta, tendrá grasas y aceites en exceso que no se saponifican. Estos jabones supergrasos son más suaves, pero también se descomponen con mayor rapidez. Los jabones y los materiales crudos para su elaboración que son expuestos al calor o a la luz, se descompondrán antes. Los altos porcentajes de fragancias artificiales también pueden afectar la estabilidad de un jabón. Un ambiente húmedo acelera el deterioro.

Unas pocas recomendaciones

El extracto de semilla de pomelo y el aceite de raíz de zanahoria utilizados en combinación ofrecen vitaminas A y C y propiedades para el cuidado de la piel en forma no artificial. Si su fórmula es vulnerable, busque una combinación de extracto de semilla de pomelo, tocoferoles (vitamina E) y aceite de raíz de zanahoria. Estos son los tres conservantes naturales que prefiero.

Algunos de estos conservantes son Agregados en la etapa del aceite (la mezcla de aceites y grasas derretidas) del proceso de elaboración del jabón y otros en la etapa del agua (la mezcla combinada y enfriada de hidróxido de sodio y agua). Algunos de ellos son antioxidantes, mientras que otros inhiben el desarrollo bacteriano. Una combinación creada con cuidado puede ofrecerles a sus jabones una protección más amplia contra la ranciedad.

EXTRACTO DE SEMILLA DE POMELO

Naturaleza: Éste es un producto derivado de la industria de los cítricos y es el antioxidante en el que más confío a la hora de elaborar jabones. Extraído de vegetales, el extracto de semilla de pomelo contiene vitamina C (ácido ascórbico) y glicerina. Se mantiene en buen estado de siete a nueve años.

Usos / Beneficios: Junto con sus propiedades antioxidantes, el extracto de semillas de pomelo es también antibacteriano, antimicrobiano, desodorizante, astringente y antiséptico.
Cantidad / Procedimiento: Agregar entre 0,5 y 5 por ciento (del total de los ingredientes que intervienen en la elaboración del jabón) de extracto de semilla de pomelo durante la etapa del aceite antes de agregar la solución de lejía. Advierta que el extracto de semilla de pomelo puede precipitarse en la etapa de la lejía -aprendí esto de fuentes fidedignas-.

TOCOFEROLES

Naturaleza: Éstas son formas naturales de vitamina E que existen ya sea como alfa tocoferol, beta tocoferol, gama tocoferol o delta tocoferol. Los tocoferoles gama y delta son conocidos por sus propiedades antioxidantes.
Usos / Beneficios: Los tocoferoles pueden retardar la ranciedad dentro de determinadas fórmulas, y por otro lado ofrecen propiedades curativas que suavizan la piel. Evite el dl-alfa tocoferol, es decir la versión artificial de la vitamina E.
El agregado de tocoferoles es más efectivo en la conservación de sebo y lardo, que contienen muy pocos tocoferoles. Asimismo, ayudan a proteger los aceites esenciales más vulnerables como el de limón, naranja y pomelo. Los aceites vegetales ya contienen porcentajes variables de tocoferoles, por lo que los tocoferoles adicionales pueden agregarles solamente un pequeño beneficio.
Cantidad / Procedimiento: Al utilizarlos en jabones ciento por ciento vegetales, combine los tocoferoles con el extracto de semilla de pomelo para obtener una mayor protección. Agregue 0,06 por ciento (del total de los ingredientes que utilice en la elaboración del jabón) durante la etapa del aceite antes de agregar la solución de lejía.

ACEITE DE RAÍZ DE ZANAHORIA

Usos / Beneficios: Del mismo modo que el extracto de semilla de pomelo, el aceite de raíz de zanahoria es un excelente sustituto de las formas puras de vitamina C y A, cada vez más difíciles de comprar en su estado natural. El aceite de raíz de zanahoria es un antioxidante con alto contenido de vitamina A, vitamina E y provitamina A. Este aceite es en especial bueno para piel seca y agrietada porque acelera la formación de células nuevas.
Cantidad / Procedimiento: Agregue de 0,5 a 5 por ciento (del total de los ingredientes que utilice en la elaboración del jabón) de aceite de raíz de zanahoria durante la etapa del aceite antes de agregar la solución de lejía. Combínelo con otros conservantes naturales para obtener una mayor protección.

Proceso de elaboración del jabón

PARTE 3

CAPÍTULO 8
Primer paso: Equipo y elementos

Puede elaborarse jabón utilizando un equipo de millones de dólares o hacerlo en un balde. He logrado confeccionar la siguiente lista de elementos después de años de experimentar con todo tipo de opciones, eligiendo éstos por precisión, conveniencia, economía y durabilidad. Con seguridad usted tendrá sus propias ideas a medida que se aventure en la elaboración del jabón. Juegue con todos ellos -ésa es la mitad de la diversión-.

Un equipo ideal necesario para la elaboración del jabón cuenta con los siguientes elementos:

- ◆ un recipiente enlosado o de acero inoxidable de 8 a 12 litros con tapa (la "cuba para elaborar jabón")
- ◆ una sartén con capacidad para 2,8 litros
- ◆ un recipiente o jarra de vidrio resistente al calor de 1,9 a 2,8 litros de capacidad
- ◆ 2 ó 3 espátulas resistentes de goma o silicona
- ◆ una balanza de buena calidad (preferentemente dos balanzas: una que pese en gramos y la otra en onzas)
- ◆ dos termómetros de buena calidad (preferentemente los de lectura rápida de 18ºC a 104ºC)
- ◆ matrices (1 bandeja de madera de 64,8 cm x 34,3 cm x 10,2 cm para un lote de 5,45 kg)
- ◆ papel manteca para forrar las bandejas
- ◆ cinta adhesiva para ajustar el papel contra los lados de la bandeja
- ◆ cuchillo filoso y angosto para fraccionar y recortar los jabones
- ◆ antiparras y guantes

MATERIALES QUE DEBEN EVITARSE

El jabón puede ser bastante inofensivo y suave, pero sus componentes atraviesan algunas etapas muy activas y cáusticas antes de estabilizarse. El equipo en el que se llevará a cabo el proceso de elaboración del jabón debe soportar hasta la peor acción de esos componentes. La lejía corroe algunos materiales en forma instantánea y otros, transcurrido un tiempo. Los jabones procesados en frío están libres de propiedades cáusticas solamente luego de transcurridas semanas de curación, por lo que el equipo a utilizarse, de principio a fin, debe poder soportar diferentes concentraciones de lejía. He aquí mis recomendaciones acerca de los materiales que deben evitarse:

◆ No utilice nada de aluminio, lata, hierro o teflón, dado que la lejía los corroe.

◆ Evite el hierro fundido; los recipientes de hierro fundido se deterioran algo destiñendo el jabón.

◆ Considero que el plástico es demasiado débil y flexible sometido a altas temperaturas, aunque el plástico de alto rendimiento es mejor.

◆ Evite la madera. Luego de utilizar espátulas de madera durante un par de años, cambié por espátulas de goma o de silicona de alto rendimiento, porque las de madera se ablandaban, se astillaban, dejando pequeños trocitos de madera en el jabón, y eran imposibles de lavar bien si se las exponía en forma constante a la soda cáustica. Las espátulas de silicona o goma son más costosas pero están como nuevas aun a los dos años de usarlas.

Tanto el vidrio térmico como la loza de barro, la goma de alto rendimiento (blanca), la silicona, el enlosado y el acero inoxidable soportan bien la acción de la lejía. Personalmente utilizo todos estos materiales menos el acero inoxidable. Es muy costoso y guardo los recipientes y utensilios de este material solamente para cocinar. Pero si por casualidad encuentra un recipiente de acero inoxidable de uso industrial en un mercado de pulgas, lléveselo. Desde termómetros hasta espátulas, desde jarros para lejía hasta cubas para elaborar jabón, trate de ubicar todos estos materiales que le recomiendo porque son los más seguros y durables.

BALANZAS

Luego de alrededor de un año de elaborar jabones, me distendí demasiado respecto de la precisión en la medida de cantidades, pero he vuelto a ser más precisa. El fabricante de jabón en frío debe ser en especial preciso, porque el proceso mismo no permite ajustes posteriores. Una vez que se vierte la lejía sobre los aceites, no hay forma confiable de corregir un poco más de esto o un poco menos de aquello. En el mejor de los casos, este método produce jabones que son o tanto supergrasos o un tanto alcalinos; de los que sin duda preferimos los un tanto supergrasos que debemos asegurar a través del cálculo minucioso.

Algunos ingredientes pueden pesarse con mayor precisión en una balanza en gramos; otros son demasiado pesados para la versión no industrial y deben pesarse con la suficiente precisión en una balanza en onzas. Durante más de un año pesé todos los ingredientes en onzas, pero la mayoría de este tipo de balanzas tienen un peso mínimo de dos onzas, dejando a usted la posibilidad de aproximar las cantidades inferiores a una o media onza. Se pueden calcular con precisión las grasa y los aceites de esta forma, pero respecto del hidróxido de sodio los aceites esenciales y los conservantes naturales, una onza de menos es importante. Por ello tenga ambas balanzas a mano y considere que es un inconveniente cambiar de una a otra.

Aunque mi preferencia se orienta hacia el sistema imperial de medidas utilizadas en los Estados Unidos de Norteamérica y en la escala Fahrenheit para las temperaturas, soy consciente de que algunos lectores pueden preferir el sistema métrico y la escala centígrada. Para esos lectores he incluido las conversiones de las medidas en las recetas.

NOTA ACERCA DE LAS CANTIDADES

No calcule la cantidad de ingredientes en volumen (salvo en el caso de los aceites esenciales que pueden medirse por peso o de esa manera). El peso es mucho más confiable. Un par de manuales de elaboración de jabón ofrecen fórmulas calculadas en volumen, pero a menos que se sienta seguro con este sistema, vale la pena pasar las cantidades de la fórmula (con cuidado) a medidas de peso.

MATRICES

Tengo menos conocimientos acerca de este tema que muchos otros fabricantes de jabón, porque prefiero los simples trozos de jabón a las formas regulares. Hace unos años me divertí tomando como moldes caracoles, cortantes de galletas y haciendo esferas de jabón, y aunque es divertido durante un tiempo, volví a las formas cúbicas y rectangulares de jabón natural y denso. Ni siquiera me agradan los facetados, por lo que me ahorro el tiempo y el esfuerzo de un corte extra.

Si desea experimentar con matrices, deje de lado lo obvio. Una vez que abra su mente a posibles recipientes, los objetos más extraños captarán su atención. Bandejas con textura, bandejas plásticas para galletas divididas en comportamientos con decoraciones, caracoles marinos bien limpios, juguetes de los niños, vasos de plástico para vino... déjese llevar por la imaginación. Ésta es la parte divertida. Tanto los moldes de cerámica como los de vidrio se adhieren al jabón. El plástico y la goma se desprenden con facilidad del producto final dejando las formas intactas.

Los jabones vegetales procesados en frío, elaborados con aceite de palma, probablemente resultarán demasiado blandos para que mantengan la forma del molde. Es mejor darles forma esférica que intentar hacer de ellos verdaderas esculturas. Si se incorpora a la fórmula un 25 ó 30 por ciento de aceite de palma, el jabón resultará lo suficientemente duro como para moldearse, aunque los jabones con sebo son los más aptos para modelar en forma decorativa.

Bandejas de madera para formar panes de jabón

Para formar panes rectangulares yo utilizo bandejas hechas de madera terciada de 2,5 cm, con esquinas bien selladas formando ángulos rectos y asas incorporadas a los costados para manipulearlas con comodidad. Si se las hace bien, duran años. Mis bandejas miden 65 cm X 35 cm X 10 cm. Utilizando las fórmulas presentadas en este libro, esta medida de bandeja rinde para 40 panes de jabón de 2,5 cm de espesor cada uno. Estas medidas no necesariamente deben ser exactas, pero si las medidas de su bandeja son diferentes, espere obtener panes de jabón más delgados o más gruesos. La variable de importancia es la cantidad de centímetros cuadrados que tenga el fondo de la bandeja -en mi caso, 2.275 centímetros cuadrados. La profundidad no es un factor crítico, salvo que tenga menos de 10 cm, en cuyo caso no tendrá suficiente espacio para acomodar el papel manteca con comodidad. También puede hacer bandejas a partir de cajas de cartón duro, pero pierden la forma con rapidez y deben reemplazarse con frecuencia para evitar obtener jabones irregulares.

Siempre forro las bandejas con un papel manteca resistente para evitar que la madera se deteriore y que el jabón pierda el color. Mis bandejas son tan sólo un poco más profundas que el jabón, una altura muy eficiente para conservar el calor durante el período de aislamiento de veinticuatro horas. Cubro una bandeja con otra dada vuelta y luego envuelvo bien las dos bandejas con mantas.

Algunas matrices industriales muy costosas vienen con ranuras para insertar divisiones y fraccionar la masa en panes de jabón. No he logrado encontrar una alternativa económica para los jabones vegetales. Mientras que agregando aceite de palma el jabón resulta bastante duro en alrededor de 24 horas, el centro del jabón permanece blando por más tiempo y usted querría dejarlo en los moldes. Considero que es mejor cortar los panes y dejarlos secar exponiendo al aire las partes más blandas. Éste es el mejor método para mí, y a la gente le fascinan los panes de jabón cortados a mano. Nuevamente, trabajar con una fórmula ciento por ciento vegetal es muy diferente a trabajar con una fórmula a base de sebo.

EQUIPO DE SEGURIDAD Y CUIDADOS

Todos, en especial los principiantes, deberían utilizar antiparras y guantes como medida de precaución.

Compre guantes que le sienten bastante justo para que le permitan tener un poco de sensibilidad. Busque los de látex, neoprene con látex, los de plástico duro o los guantes de caucho natural. Asegúrese de que el material no sea resbaladizo; es importante que tenga un agarre confiable.

Al tiempo que decida acerca de la forma de tomar precauciones para asegurar su persona, su familia o cualquier persona que se acerque, tenga en cuenta los peligros que pueden ocasionar el hidróxido de sodio, la solución de lejía y aun el jabón de menor concentración en el recipiente. No deben colocarse los recipientes cerca del borde de la mesa. Considere también gatos y perros; eduque a su familia; coloque carteles de advertencia; asegúrese de poder vigilar el proceso de principio a fin o busque otro momento; y calcule todo tipo de eventualidades antes de decidirse a proceder.

EL LUGAR DE TRABAJO

Lo agradable de la elaboración de jabones es que cualquier persona puede hacer jabón en casi cualquier lugar. El proceso es flexible y adaptable a una variedad de modificaciones. Aun los pocos requisitos que deben cumplirse pueden satisfacerse utilizando la creatividad. La mayoría de mis sugerencias provienen del hecho que el hidróxido de sodio en cualquiera de sus formas es potencialmente peligroso. Las otras sugerencias se relacionan con la conveniencia de elaborar el jabón en un lugar de fácil acceso a una cocina, un fregadero y a los ingredientes mismos. Transportar recipientes con aceites que salpican de una habitación a otra y acarrear provisiones puede resultar una tarea complicada.

Elección y distribución

Se puede elaborar jabón en cualquier lugar: desde en un sótano hasta en una cochera, una cocina o un granero. Muy pocas personas gozan de un lugar de trabajo a su medida que satisfaga las necesidades de la elaboración de jabón. Yo utilizo la cocina porque allí todo se encuentra al alcance de mi mano y puedo tener a mi familia cerca. (Cualquier persona que elija ubicarse en el centro debe educar a su familia).

Puede elaborarse jabón en un granero sin energía eléctrica, expuesto a los elementos y lejos de los ingredientes (que deben ser almacenados en un lugar cerrado a temperatura ambiente para evitar que se tornen rancios antes de tiempo). No obstante, para ir a lo seguro y a favor de un producto más estable, busque un lugar que reúna los requerimientos básicos.

Deben considerarse los siguientes lineamientos ideales a la hora de elegir un lugar de trabajo. Están mencionados en orden de importancia.

1. La cocina debe estar ubicada a unos pocos metros.

2. El fregadero debe estar ubicado a unos pocos metros.

3. Deben almacenarse los ingredientes y los materiales necesarios (como el hidróxido de sodio, los aceites, las balanzas y de más utensilios) a unos pocos metros de distancia.

4. El lugar mismo de trabajo debe estar a la altura de un mostrador con el suficiente espacio libre (de aproximadamente 4,65 metros cuadrados) como para desplegar todo el equipo y los ingredientes con comodidad. Evite la madera o el metal; la mesada de mi cocina ya muestra heridas de guerra.

5. La temperatura ambiente debe ser moderada, ni por debajo de los 16ºC ni por sobre los 35ºC. Esta situación es la ideal, pero aun las temperaturas más extremas pueden soportarse haciendo uso de la creatividad.

6. Coloque una silla cómoda para adaptarse a la altura y profundidad del lugar de trabajo.

Algunas personas van mezclando en el momento y otras miden y separan todos los ingredientes de antemano. El proceso de elaboración del jabón se acelera con rapidez, por lo que tendrá más chances de lograr el éxito si los ingredientes y los utensilios ya se encuentran allí esperándolo. Equipe su lugar de trabajo con tiempo antes de comenzar a elaborar jabón. Primero cubra la zona en donde trabaje con una tela gruesa o con papeles de periódicos. Luego forre las bandejas para la elaboración del jabón y pese todos los ingredientes que pueda con anticipación, de la forma en que se detalla en el Capítulo 9.

CAPÍTULO 9
Recetas

El jabón puede elaborarse con menos precisión de lo que sugieren las siguientes fórmulas pero el principiante debería comenzar siendo lo más preciso posible. La experimentación y el estudio le permitirán una licencia creativa en forma eventual.

Los jabones de alto contenido de sebo vacuno (la mitad de la cantidad total de grasas y aceites en una fórmula) pueden elaborarse a una gama más amplia de temperaturas que los jabones de aceite vegetal. Pero los jabones elaborados con aceites vegetales solamente, o aun aquellos con un gran porcentaje de aceites vegetales y la incorporación de una pequeña cantidad de sebo o lardo, deberían elaborarse a temperaturas próximas a los 27ºC.

Su gusto personal lo podría llevar hasta los 32ºC o 35ºC, pero aun así un aumento de 8°C crea nuevos desafíos. Las mezclas ciento por ciento vegetales pueden tardar más tiempo en saponificarse a temperaturas entre 35º y 41ºC; pueden espesarse entre los 38º y 60ºC aun revolviendo con regularidad; la lejía puede precipitarse en la solución formando pequeños trozos sólidos como perlas, cuyo resultado es la obtención de lejía sólida en el producto final; los jabones vegetales son más vulnerables a la ranciedad cuando son elaborados a temperaturas mayores, y las temperaturas inferiores a los 24ºC y superiores a los 35ºC para producir una mezcla que sobrerreacciona ante las fragancias.

Durante el primer año en la actividad elaboré jabones vegetales (desde jabones con aceite de oliva, aceite de coco y margarina vegetal) muy diferentes de los que elaboro en la actualidad. Utilizaba mucho menos hidróxido de sodio de lo que estipulaban las recetas dejando un porcentaje mayor de aceite no saponificado en el producto final. Los jabones eran más vulnerables a ponerse rancios en forma precoz, pero podía elaborarlos con lentitud durante un período de dieciséis a veinticuatro horas, permitiendo un proceso muy pausado. Llevaba tanto la solución de lejía como los aceites a una temperatura de

NOTA ACERCA DE LA TEMPERATURA

La temperatura del proceso afecta el tiempo que le insume al jabón para saponificarse. Recomiendo una temperatura de procesamiento de 27°C. De acuerdo con mi experiencia personal, a medida que la temperatura sube de 27°C a 38°C, el tiempo de procesamiento aumenta de diez a treinta minutos. Por sobre los 43°C, el tiempo de procesamiento se acelera nuevamente pero el jabón se torna menos agradable.

35º a 38ºC, los mezclaba y luego revolvía para unir los aceites en la mezcla con mucha suavidad, porque se separaban como aceite y vinagre. Al irme a dormir sólo cubría el recipiente, me iba a la cama y volvía por la mañana para revolver los aceites.

Este proceso me permitía cierta flexibilidad pero no funcionaba con el aceite de palma, el sebo ni el aceite de carozo de oliva, que aceleran el proceso de saponificación, y por último decidí elegir los panes de jabón duros producidos con aceite de palma en vez del otro proceso.

Usted también probablemente cambie las fórmulas durante el transcurso de los años porque la mitad de la diversión y del desafío consiste en experimentar. Lea todo lo que pueda para comprender mejor los fundamentos de la saponificación pero luego inicie el vuelo según su propio criterio.

Las catorce recetas de este capítulo pueden utilizarse para crear decenas de otras recetas haciendo uso de los diferentes nutrientes descriptos en el Capítulo 6. Lea acerca de los nutrientes y de sus propiedades para el cuidado de la piel y luego diseñe sus propias fórmulas para elaborar jabón que se adecue mejor a sus necesidades.

PASOS BÁSICOS DEL PROCESO DE ELABORACIÓN DE JABÓN

Paso 1: Acomode el equipo para elaborar el jabón incluyendo las balanzas, la cuba de elaboración del jabón, la sartén, los termómetros, el recipiente de vidrio y los ingredientes. Calcule las cantidades de los aceites, el conservante y los nutrientes extras; sepárelos en recipientes diferentes.

Paso 2: Forre las bandejas con el papel manteca de alto rendimiento manteniendo el papel a una distancia de 1 pulgada de los cuatro bordes de las bandejas. Pliegue el papel en las esquinas, de una a la vez, ejerciendo presión con el dedo índice a través de la superficie del papel y presionando sobre los ángulos utilizando la otra mano para mantener el papel inmóvil y en su lugar.

Paso 2

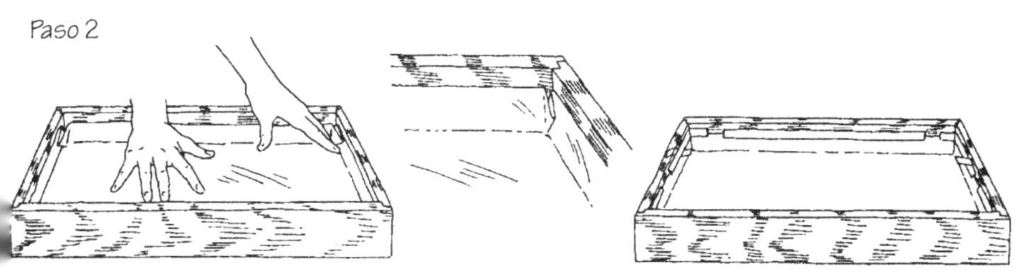

Pliegue el exceso de papel en los ángulos hacia adentro. Alise los pliegues para que se nivelen perfectamente contra la pared de la bandeja y asegúrelos con cinta adhesiva desde el ángulo inferior hacia afuera, en forma diagonal, hasta la zona expuesta de la pared de la bandeja. Adhiera los bordes de papel a la bandeja con cinta adhesiva para mantener el papel liso contra los bordes sin arrugas ni ondas y así evitar obtener jabones con ángulos redondeados y bases ondeadas. Lleve a cabo este paso en este mismo momento: luego no tendrá tiempo porque el proceso se acelerará.

Paso 3: Colóquese las antiparras y los guantes.

Paso 4: Calcule el peso del hidróxido de sodio y colóquelo aparte, lejos de la zona de trabajo.

Paso 4

Paso 5: Coloque un recipiente de vidrio de 2 litros sobre la balanza; pese la cantidad necesaria de agua.

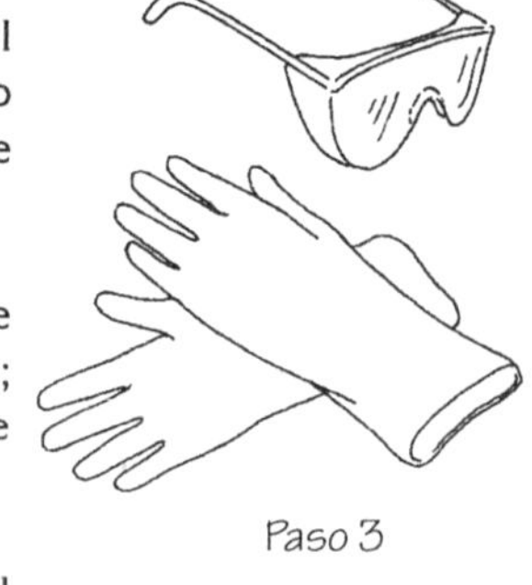

Paso 3

Paso 6: Con cuidado, agregue el hidróxido de sodio en el recipiente de vidrio con agua revolviendo con energía con la espátula de goma hasta que se disuelva por completo.

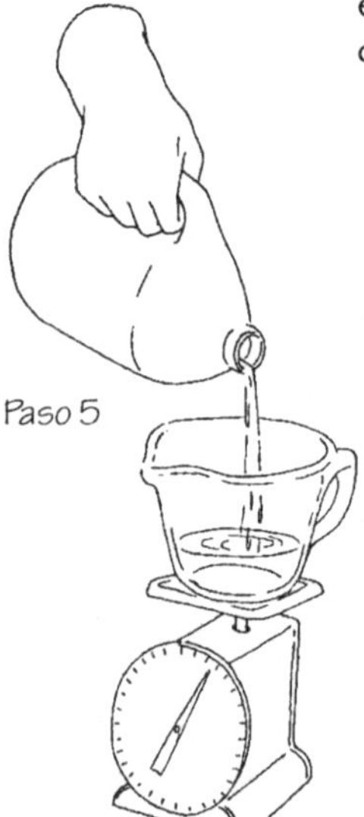

Paso 5

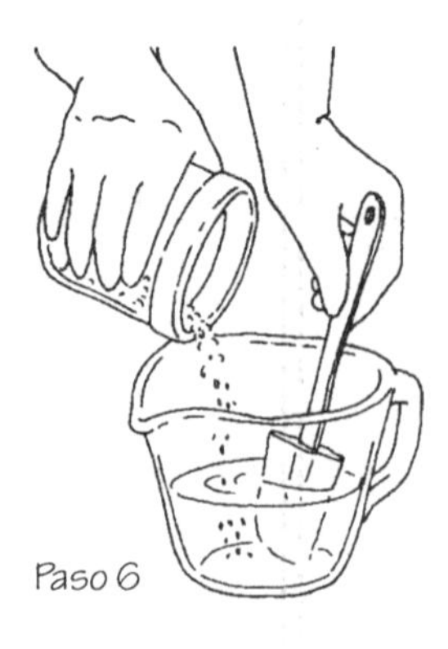

Paso 6

Paso 7: Coloque el recipiente para elaborar el jabón de 8 a 12 litros de capacidad sobre la balanza. Agregue las cantidades necesarias de aceites líquidos que deban incluirse al comienzo del proceso de elaboración. Coloque aparte.

Paso 8: Disponga la sartén de 3 litros de capacidad sobre la balanza y calcule el peso de las grasas sólidas que deben derretirse antes de agregarlas a los aceites líquidos. Coloque aparte.

Paso 9: Con las antiparras y los guantes puestos, agregue con lentitud la lejía en forma de llovizna sobre los aceites, revolviendo la mezcla con energía.

Paso 10: Continúe revolviendo con energía formando ochos con la espátula para mantener la mayor parte de la solución en constante movimiento.

Uña vez que una pequeña cantidad de jabón en la superficie deje su huella antes de hundirse nuevamente en la masa, el jabón estará listo.

Paso 11: Incorpore los nutrientes y aceites esenciales que desee para perfumar el jabón revolviendo con energía con la espátula sin llegar a batir la mezcla.

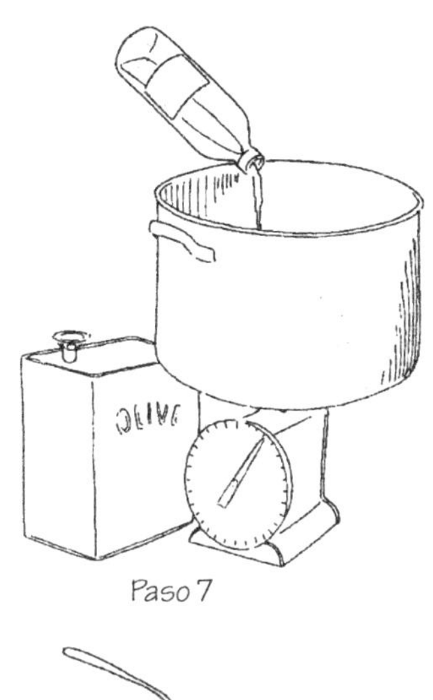

Paso 7

Paso 8

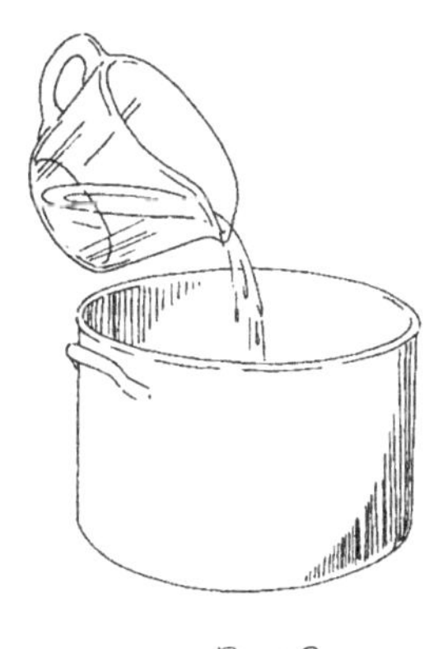

Paso 9

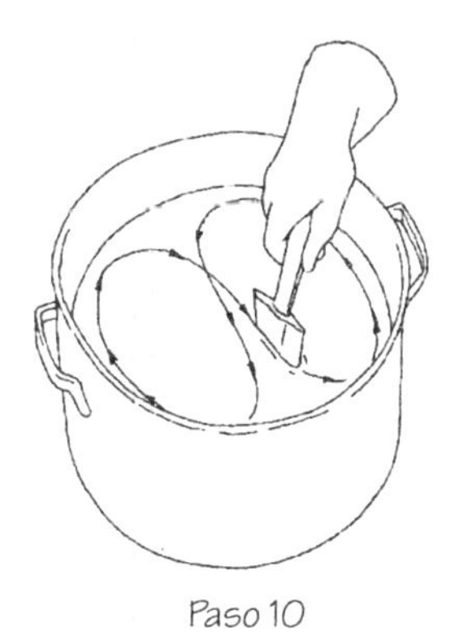

Paso 10

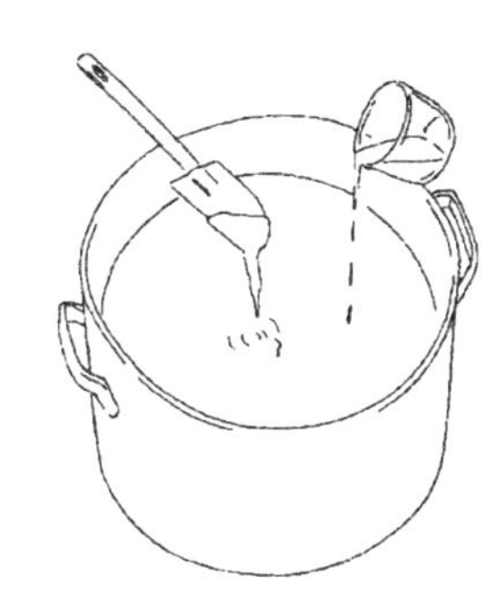

Paso 11

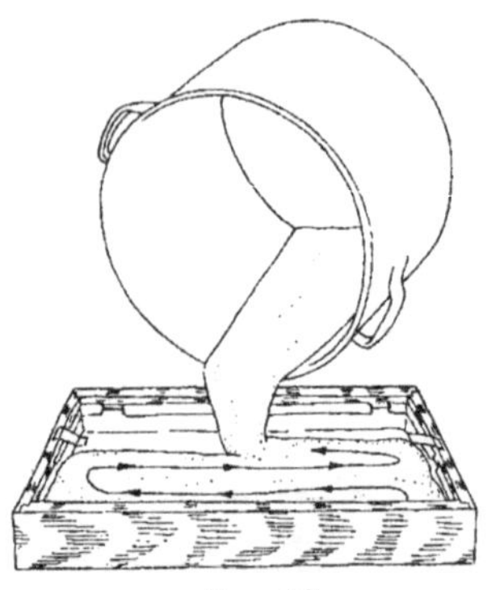

Paso 12

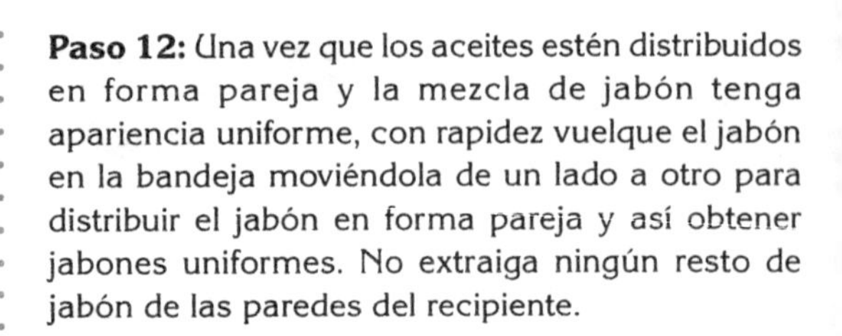

Paso 12: Una vez que los aceites estén distribuidos en forma pareja y la mezcla de jabón tenga apariencia uniforme, con rapidez vuelque el jabón en la bandeja moviéndola de un lado a otro para distribuir el jabón en forma pareja y así obtener jabones uniformes. No extraiga ningún resto de jabón de las paredes del recipiente.

Paso 13: Cubra la bandeja de jabón con otra bandeja vacía (o con un trozo de madera terciada o cartón pesado); cubra con una o dos mantas. Déjela inmóvil de dieciocho a veinticuatro horas.

Paso 14: Valiéndose de reglas y de una cuchillo de pelar dibuje con suavidad una líneas para cortar la masa en panes (no corte hasta abajo). Una vez que las líneas estén derechas y uniformes, corte a lo largo y a lo ancho hasta la base de la bandeja.

Paso 15: Con cuidado pele los panes de jabón. Rebane una fina lonja de cada una de las caras del jabón para quitar las cenizas blancas del carbonato de sodio y empareje los bordes.

Paso 16: Coloque los panes de jabón uno al lado del otro sobre una bolsa de papel madera o sobre un individual de ratán o mimbre.

Paso 13

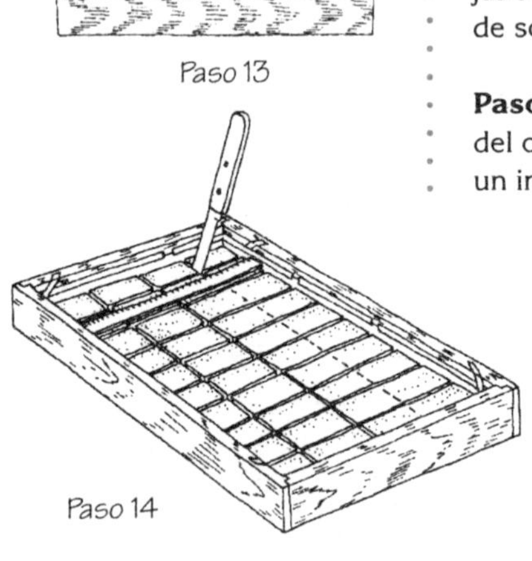

Paso 14

Paso 16

Paso 15

JABÓN ESENCIAL

Rinde 40 panes de jabón de 110 g cada uno aproximadamente

Éste el jabón que mis clientes solicitan con mayor frecuencia. El de oliva es el aceite que más utilizo, porque deja el jabón con una humectante apariencia lustrosa una vez que se lo introduce en el agua. El aceite de coco ofrece una suave espuma y el aceite de palma endurece el jabón. Al bañarse, tómese un tiempo para frotar el jabón por sus manos durante unos minutos y sentirá los aceites y la textura acerada. Es un contraste bastante importante si se lo compara con la textura áspera de tantos jabones sintéticos elaborados en forma industrial.

Este jabón combina los mejores atributos de la elaboración que ofrecen los aceites vegetales a un costo accesible. Agregue sus nutrientes preferidos para obtener un beneficio aún mayor en el cuidado de la piel, según su gusto (ver Capítulo 6, "Nutrientes").

- 1,36 kg de agua destilada fría (no necesita estar fría de refrigerador)
- 473 g de hidróxido de sodio
- 1,81 kg de aceite de oliva
- 1,13 kg de aceite de coco
- 680 g de aceite de palma
- 30 g de extracto de semilla de pomelo (conservante natural), opcional
- de 45 a 50 g (aproximadamente de 15 a 18 cucharaditas) de aceite esencial puro (ver Capítulo 4), opcional
- Nutrientes extras (ver Capítulo 6), opcional

PREPARACIÓN DEL LUGAR DE TRABAJO

1. Antes de comenzar, lea el Capítulo 8, acondicione un lugar de trabajo y consiga el equipo necesario.
2. Forre la matriz o molde -una bandeja de madera o una caja de cartón fuerte- con papel manteca de alto rendimiento para freezer. Asegúrese de plegarlo en los ángulos y alisar el papel contra la caja para que no se arrugue ni ondule.
3. Calcule la cantidad de aceite esencial, conservante y nutrientes extras y colóquelos aparte en recipientes bien cerrados.

MEZCLA DE LOS INGREDIENTES BÁSICOS

4. Colóquese las antiparras y los guantes. Pese el hidróxido de sodio y colóquelo aparte.

5. Coloque el recipiente de vidrio sobre la balanza y agregue el agua destilada. Retire de la balanza. Con cuidado, agregue el hidróxido de sodio mientras revuelve con energía con una espátula de goma. Los vapores lo perturbarán por unos diez segundos. Retenga la respiración mientras revuelve y luego deje la habitación para tomar aire fresco. Regrese a los dos o tres minutos para finalizar de disolver el hidróxido de sodio.

La reacción calentará la solución de lejía a más de 94ºC, por lo que debe retirar el recipiente y colocarlo en un lugar seguro para dejarlo enfriar hasta los 27ºC. Si planea dejar enfriar la lejía de un día para el otro, cubra bien el recipiente para evitar que la solución se debilite.

6. Mientras la lejía se enfría, puede comenzar a mezclar los aceites. Coloque la cuba de elaboración del jabón sobre la balanza y agregue el aceite de oliva. Luego coloque la sartén de 3 litros sobre la balanza y agregue el aceite de coco y el de palma. Coloque la sartén con estos dos aceites sobre fuego lento hasta que la mayor parte de los trozos sólidos se hayan derretido. Los otros pocos trozos se derretirán con el calor mismo de la sartén. Vierta los aceites derretidos sobre el aceite de oliva. Si desea agregar un conservante natural, añada extracto de semilla de pomelo a las grasas y aceites tibios, revolviendo hasta que se unan por completo. Dejar enfriar hasta los 27ºC.

ELABORACIÓN DEL JABÓN

7. Usted ya estará preparado para hacer jabón una vez que tanto los aceites como la solución de lejía hayan llegado a una temperatura de 27ºC. Si ha dejado enfriarse la lejía durante la noche y la temperatura ha descendido más de este punto, caliéntela colocando el recipiente en una tina llena de agua caliente. Los aceites pueden calentarse sobre fuego lento en la cocina durante un breve tiempo, de ser necesario. Retire el recipiente del fuego una vez que los aceites alcancen los 24ºC; el calor del recipiente elevará la temperatura de los aceites a 27ºC.

8. Con las antiparras y los guantes puestos, rocíe la lejía con lentitud sobre los aceites, revolviendo con energía a medida que vaya vertiéndola. Continúe revolviendo formando ochos para mantener en constante movimiento la mayor parte de la solución. No agite ni bata la mezcla. Más bien revuelva con energía durante todo el proceso. No intente retirar los restos de la mezcla de los bordes del recipiente. Una vez que aparece una pequeña porción de jabón sobre la superficie dejando su rastro antes de hundirse nuevamente en la masa, el jabón estará listo para recibir los aceites esenciales y los nutrientes, si así lo desea. Esto puede llevar de siete a cuarenta minutos, según la variedad de aceite de oliva que haya utilizado.

No espere hasta que el jabón se haya espesado tanto que los rastros permanezcan sobre la superficie, o el jabón se endurecerá demasiado rápido una vez que haya agregado los aceites esenciales. Aun así, asegúrese de que todos los aceites sobre la superficie se hayan incorporado dejando una mezcla uniforme.

9. Incorpore cualquier nutriente que desee y luego rocíe los aceites esenciales en forma inmediata para perfumar el jabón, revolviendo con energía con una espátula sin llegar a batir. Revuelva durante veinte o treinta segundos o el menor tiempo necesario, hasta que los aceites esenciales se hayan incorporado por completo. Si se revuelve demasiado, se veteará y se formarán grumos (una formación que hace difícil, si no imposible, verter el jabón en la matriz). Los aceites esenciales puros por lo general son más maleables. Es más probable que los aceites artificiales con fragancia se veteen y formen grumos.

COLOCACIÓN DENTRO DE LA MATRIZ

10. Una vez que los aceites se hayan distribuido en forma pareja, vierta el jabón rápidamente dentro del molde sin retirar los restos de jabón que queden en los bordes del recipiente. La mezcla debe ser suave, sin grumos y de textura y color uniformes. La aparición de zonas acuosas o aceitosas son signo de una solución mal mezclada que formará trozos de lejía sólida en el producto final. Intente verterlo en forma pareja desde un extremo al otro de la matriz para obtener panes de tamaños similares. Si detecta un cambio de textura, deténgase.

Si la última porción de la mezcla de jabón del fondo del recipiente es acuosa o aceitosa, significa que no se completó debidamente el proceso de incorporación. No contamine el resto del lote agregando esta porción de jabón no saponificado.

Si el primer intento de verter la mezcla dentro de la matriz no es lo suficientemente rápido y se observa un cambio en la textura de la mezcla, separe esa parte hacia los ángulos ayudándose con una espátula. Recuerde que los jabones pueden ser emparejados con suavidad una vez que los panes se encuentren listos para ser cortados. Si se sigue esta receta con cuidado, es muy poco probable que se encuentre con este problema.

ESTACIONAMIENTO Y FRACCIONAMIENTO DE LOS PANES DE JABÓN

11. Cubra la bandeja con otra, con un trozo de madera terciada o bien con un trozo de cartón pesado; cubra con una o dos mantas. Déjela sin mover de dieciocho a veinticuatro horas. Este período es crítico porque el aislamiento permite que el jabón se caliente y complete así el proceso de elaboración.

12. Descubra la bandeja y aléjela de corrientes de aire y temperaturas frías de uno a siete días o hasta que los jabones estén lo suficientemente firmes como para poder cortarlos. No espere hasta que se endurezcan como rocas.

13. Ayudándose con reglas y cuchillos afilados, marque suavemente la masa dividiéndola en panes, teniendo la precaución de no cortar hasta abajo. Una vez que las marcas están derechas y parejas, corte a lo largo y a lo ancho, hasta tocar la base de la bandeja. Sosteniendo los extremos del papel manteca, levante toda la capa de jabones y retírela de la bandeja. Con cuidado, quite el papel de los jabones y luego rebane una fina lonja de cada una de las caras del jabón para quitar las cenizas blancas del carbonato de sodio.* Asimismo, empareje los bordes.

14. Coloque los panes de jabón uno al lado del otro sobre una bolsa de papel madera o sobre un individual de ratán o mimbre. No utilice bolsas impresas porque los panes de jabón son aún alcalinos y absorberán la tinta. Coloque los jabones en un lugar seco y bien ventilado, protegido de temperaturas extremas.

15. Deje que los jabones se estacionen de cuatro a seis semanas, girándolos una vez para exponer los otros lados. Éste es un período importante porque los jabones se endurecen y suavizan. Envuélvalos como desee, preferentemente con un material poroso.

** Cuando el hidróxido de sodio es expuesto al aire, absorbe el agua y el dióxido de carbono para formar carbonato de sodio, $NaCO_3$. Este polvo blanco grisáceo se forma en la superficie de los jabones a medida que se curan y debe ser retirado al fraccionar los panes. No es tan dañino como el hidróxido de sodio pero reseca e irrita la piel.*

CHAMPÚ VEGETAL EN PAN

para cabello de normal a graso

Rinde 40 panes de jabón de 110g cada uno aproximadamente

Los productos sintéticos se han introducido en todos los aspectos de nuestra vida: sólo necesitamos leer la etiqueta posterior de un envase de champú para encontrar un ejemplo.

Hemos aprendido a examinar con cuidado la lista de ingredientes en los envases de alimentos y aun así no aplicamos el mismo razonamiento con los productos para el cuidado personal que también son absorbidos por nuestros órganos.

Este champú en pan es sólido y puede reemplazar el champú y los acondicionadores líquidos. El aceite de ricino y el de coco producen un espuma espesa, mientras que los otros aceites y nutrientes limpian y acondicionan tanto el cabello como el cuero cabelludo.

Para usarlo, frote el pan sobre la cabeza hasta obtener un espuma espesa y luego distribuya el champú por todo el cabello. Elija una jabonera especial para poder distinguir el champú en pan de los otros jabones para el cuerpo, aunque este pan puede utilizarse también para el cuerpo.

- 1,36 kg de agua destilada fría (no necesita estar fría de refrigerador)
- 510 g de hidróxido de sodio
- 1,28 kg de aceite de oliva
- 1,02 kg de aceite de ricino
- 113 g de aceite de jojoba
- 1,02 kg de aceite de coco
- 57 g de cada uno de los siguientes nutrientes (opcional*): manteca de galam, aceite de almendra dulce, aceite de pepita de damasco, aceite de palta
- 30 g de extracto de semilla de pomelo (conservante natural), opcional
- Nutrientes extras (Agregados hacia el final del proceso de elaboración del jabón: ver Capítulo 6), opcional
- de 45 a 50 g (aproximadamente de 15 a 18 cucharaditas) de aceite esencial puro (ver Capítulo 4), opcional

** Si no utiliza estos nutrientes, aumente la cantidad de aceite de jojoba de 4 a 8 onzas y la cantidad de aceite de oliva de 1,300 kg a 30 ml.*

Nota: Esta fórmula requiere una mayor cantidad de hidróxido de sodio que lo que sugiere la tabla de índices de saponificación. Ver Capítulo 2, Aceite de ricino, para una explicación más detallada.

PREPARACIÓN DEL LUGAR DE TRABAJO

1. Antes de comenzar, lea el Capítulo 8, acondicione un lugar de trabajo y consiga el equipo necesario.

2. Forre la matriz o molde -una bandeja de madera o una caja de cartón fuerte- con papel manteca de alto rendimiento para freezer. Asegúrese de plegarlo en los ángulos y alisar el papel contra la caja para que no se arrugue ni ondule. Adhiera los bordes del papel a la bandeja con cinta adhesiva para mantener el papel liso contra los bordes sin arrugas ni ondas.

3. Calcule la cantidad de aceite esencial, conservante y nutrientes extras y colóquelos aparte en recipientes bien cerrados.

MEZCLA DE LOS INGREDIENTES BÁSICOS

4. Colóquese las antiparras y los guantes. Pese el hidróxido de sodio y colóquelo aparte.

5. Coloque el recipiente de vidrio de 2 litros de capacidad sobre la balanza y agregue el agua destilada. Retire de la balanza. Con cuidado, agregue el hidróxido de sodio, mientras revuelve en forma constante y enérgica con una espátula de goma. Los vapores lo perturbarán en unos diez segundos; por ello, retenga la respiración mientras revuelve y luego retírese de la habitación para tomar aire fresco. Regrese luego de dos o tres minutos para terminar de disolver el hidróxido de sodio. La reacción calentará la solución a más de 93ºC. Coloque el recipiente aparte en un lugar seguro para que la temperatura de la solución descienda a 27ºC.

6. Mientras la solución de hidróxido de sodio se enfría, comience a mezclar los aceites. Coloque la cuba de elaboración sobre la balanza y agregue el aceite de ricino, el de oliva, el aceite de jojoba, el de almendra dulce, el aceite de pepita de damasco y el de palta. Coloque la sartén de 3 litros de capacidad sobre la balanza y agregue el aceite de coco. Ubique la sartén sobre fuego lento hasta que la mayoría de los trozos sólidos del aceite de

PREPARE SU PROPIO ENJUAGUE PARA EL CABELLO

Cualquier champú deja un residuo que se acumula en el cabello. Prepare un enjuague utilizando 1 parte de vinagre de manzana o jugo de limón en una parte de agua hervida y enfriada. Agregue de 15 a 25 gotas de aceite esencial puro. Manténgalo en un envase con atomizador. Rocíelo sobre el cabello después de lavarse con champú y de enjuagarse bien. Distribuya bien por todo el cabello y cuero cabelludo. Luego, rápidamente, enjuague bien con agua.

coco se hayan derretido. Los trozos restantes se derretirán con el mismo calor de la sartén. Retire la sartén del fuego y agregue la manteca de galam al aceite de coco derretido. A medida que vaya revolviendo se irá derritiendo la manteca de galam. Vierta la mezcla del aceite de coco caliente en la mezcla de aceite de oliva. Si elige un conservante natural, agregue el extracto de semilla de pomelo en los aceites y grasas tibios, uniendo por completo.

FORMACIÓN DE LOS PANES DE CHAMPÚ

7. Una vez que la temperatura de la lejía se encuentre próxima a los 27ºC, verifique la temperatura de los aceites. Si la temperatura de la lejía se encuentra por debajo de los 27ºC, caliéntela colocando el recipiente en un fregadero con agua caliente. Para volver a calentar los aceites que se encuentren a una temperatura menor a 27ºC, colóquelos sobre fuego lento durante un corto período. Retire la sartén cuando la temperatura haya alcanzado los 24ºC; el calor de la sartén llevará la temperatura a los 27ºC.

8. Una vez que ambas soluciones se encuentren a 27ºC y tenga puestos los guantes y las antiparras, vierta con lentitud la lejía dentro del recipiente de los aceites, revolviendo con energía. Continúe revolviendo formando ochos para mantener en constante movimiento la mayor parte de la solución. No agite ni bata la mezcla. Más bien revuelva con energía durante todo el proceso. No intente retirar los restos de la mezcla de los bordes del recipiente.

Según el tipo de aceite de oliva utilizado, el champú en pan debe "rastrearse" de diez a cuarenta minutos, es decir, cuando pequeñas cantidades de la mezcla suban a la superficie dejando un rastro antes de hundirse nuevamente en la masa. No espere hasta que el jabón se haya espesado tanto que los rastros permanezcan sobre la superficie, o el jabón se endurecerá demasiado rápido una vez que haya agregado los aceites esenciales. Aun así, asegúrese de que todos los aceites sobre la superficie se hayan incorporado dejando una mezcla uniforme.

9. Incorpore cualquiera de los nutrientes que desee y luego agregue en forma inmediata los aceites esenciales, revolviendo con energía con espátula hasta que se unan por completo sin llegar a batir. La mezcla del champú en pan incorporará fragancias artificiales con mayor facilidad, pero los aceites esenciales siempre constituyen una elección superior.

COLOCACIÓN DENTRO DE LA MATRIZ

10. Una vez que los aceites se hayan distribuido en forma pareja y la mezcla haya alcanzado una apariencia uniforme, vierta el jabón rápidamente dentro del molde sin retirar los restos de jabón que queden en los bordes del recipiente. La mezcla debe ser suave, sin grumos y de textura y color uniformes. Intente verterlo en forma pareja desde un extremo al otro de la matriz para obtener panes de jabón de tamaños similares. La aparición de zonas acuosas o aceitosas son signo de una solución mal mezclada que formará trozos de lejía sólida en el producto final. Si detecta un cambio de textura, deténgase.

Si la última porción de la mezcla de jabón del fondo del recipiente es acuosa o no uniforme, no contamine el resto del lote agregando esta porción de jabón no saponificado.

Si el primer intento de verter la mezcla dentro de la matriz no es lo suficientemente rápido y se detectan cambios en la textura de la mezcla, separe esa parte hacia los ángulos con la ayuda de una espátula. Recuerde que los jabones pueden ser emparejados con suavidad una vez que los panes se encuentre listos para ser cortados. Si se sigue esta receta con cuidado, es muy poco probable que se encuentre con este problema.

ESTACIONAMIENTO Y FRACCIONAMIENTO DE LOS PANES DE JABÓN

11. Cubra la bandeja con otra, con un trozo de madera terciada o bien con un trozo de cartón pesado; cubra con una o dos mantas. Déjela sin mover de dieciocho a veinticuatro horas. Este período es crítico, porque el aislamiento permite que el jabón se caliente y complete así el proceso de elaboración.

12. Descubra la bandeja y verifique la firmeza de la masa. Este champú en pan puede estar listo para cortar luego de destaparlo, dado que se endurece muy rápidamente, a menos que contenga grandes cantidades de aceites cítricos. Si el jabón se encuentra aún blando, espere hasta que se endurezca lo suficiente como para poder fraccionarlo. Primero utilice una regla y un cuchillo filoso de pelar para marcar las líneas divisorias de los panes. Luego, una vez satisfecho, corte hasta abajo a lo largo y a lo ancho.

13. Sosteniendo los extremos del papel manteca, levante la capa de champú en pan y retírela de la bandeja. Con cuidado, quite el papel de los jabones y luego rebane una fina lonja de cada una de las caras del jabón para quitar las cenizas blancas del carbonato de sodio. (El champú en pan no tendrá tanta cantidad de cenizas como otros jabones). Empareje los bordes. Coloque los panes de jabón uno al lado del otro sobre una bolsa de papel madera o sobre un individual de ratán o mimbre. No utilice bolsas impresas porque los panes de jabón son aún alcalinos y absorberán la tinta.

14. Coloque los jabones en un lugar seco y bien ventilado, y no los exponga a temperaturas extremas. Deje estacionar los jabones de cuatro a seis semanas, girándolos una vez para exponer los otros lados. Éste es un período importante porque los jabones se endurecen y suavizan. Envuélvalos como desee, preferentemente en un material poroso.

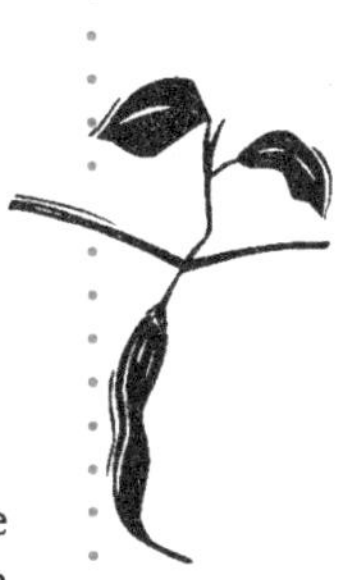

CHAMPÚ TROPICAL EN PAN

para cabello de normal a seco

Rinde 40 panes de jabón de 110g cada uno aproximadamente

Éste es mi champú en pan preferido. Una menor cantidad de aceite de ricino hace que la mezcla sea menos temperamental y el jabón mismo resulta suave y humectante. Aunque es más costoso de elaborar que el champú en pan común, esta fórmula incorpora aceite de almendra dulce y aceite de semilla de kukui, que son maravillosos nutrientes tanto para el cabello como para el cuero cabelludo.

- 3 libras de agua destilada fría (no necesita estar fría de refrigerador)
- 500 g de hidróxido de sodio
- 907 g de aceite de oliva
- 680 g de aceite de ricino
- 113 g de aceite de jojoba
- 113 g de aceite de semilla de kukui
- 907 g de aceite de coco
- 680 g de aceite de palma
- 30 g de extracto de semilla de pomelo (conservante natural), opcional
- Nutrientes extras (ver Capítulo 6), opcional
- de 45 a 50 g (aproximadamente de 15 a 18 cucharaditas) de aceite esencial puro (ver Capítulo 4), opcional

Nota: Esta fórmula requiere más cantidad de hidróxido de sodio que lo que sugieren la tabla de índices de saponificación. Ver Capítulo 2, Aceite de ricino, para una explicación más detallada.

PREPARACIÓN DEL LUGAR DE TRABAJO

1. Antes de comenzar, lea el Capítulo 8, acondicione un lugar de trabajo y consiga el equipo necesario.

2. Forre la matriz o molde -una bandeja de madera o una caja de cartón fuerte- con papel manteca de alto rendimiento para freezer.

Asegúrese de plegarlo en los ángulos y alisar el papel contra la caja. Adhiera los bordes de papel a la bandeja con cinta adhesiva para mantener el papel liso contra los bordes sin arrugas ni ondas.
3. Calcule la cantidad de aceite esencial, conservante y nutrientes extras y colóquelos aparte en recipientes bien cerrados.

MEZCLA DE LOS INGREDIENTES BÁSICOS

4. Colóquese las antiparras y los guantes. Pese el hidróxido de sodio y colóquelo aparte.
5. Coloque el recipiente de vidrio de 2 litros de capacidad sobre la balanza y agregue el agua destilada. Retire de la balanza. Con cuidado, agregue el hidróxido de sodio mientras revuelve en forma constante y enérgica con una espátula de goma. Los vapores lo perturbarán en unos diez segundos; por ello, retenga la respiración mientras revuelve y luego retírese de la habitación para tomar aire fresco. Regrese luego de dos o tres minutos para terminar de disolver el hidróxido de sodio. La reacción calentará la solución a más de 93ºC. Coloque el recipiente aparte en un lugar seguro para que la temperatura de la solución descienda a 27ºC.
6. Mientras la solución de hidróxido de sodio se enfría, comience a mezclar los aceites. Coloque la cuba de elaboración sobre la balanza y agregue el aceite de ricino, el de oliva, el aceite de jojoba, el de almendra dulce y el de semilla de kukui. Coloque la sartén de 3 litros de capacidad sobre la balanza y agregue el aceite de coco y el de palma. Ubique la sartén sobre fuego lento hasta que la mayoría de los trozos sólidos del aceite de coco se hayan derretido. Los trozos restantes se derretirán con el mismo calor de la sartén. Vierta la mezcla de los aceites calientes en la sartén con la mezcla de aceite de oliva. Si elige un conservante natural, agregue el extracto de semilla de pomelo en los aceites y grasas tibios, uniendo por completo. Deje aparte para que la temperatura de los aceites descienda a 27ºC.

FORMACIÓN DE LOS PANES DE CHAMPÚ

7. Una vez que la temperatura de la lejía se encuentre próxima a los 27ºC, verifique la temperatura de los aceites. Si la temperatura de la lejía se encuentra por debajo de los 27ºC, caliéntela colocando el recipiente en un fregadero con agua caliente. Para volver a calentar los aceites de menos de 27ºC, colóquelos sobre fuego lento durante un corto período. Retire la sartén cuando la temperatura haya alcanzado los 24ºC; el calor de la sartén llevará la temperatura a los 27ºC. Una vez que tenga puestos los guantes y las antiparras, vierta con lentitud la lejía dentro del recipiente de los aceites, revolviendo con energía. Continúe revolviendo formando ochos para mantener en constante movimiento la mayor parte de la solución.

No agite ni bata la mezcla. Más bien revuelva con energía durante todo el proceso. No intente retirar los restos de la mezcla de los bordes del recipiente.

Según el tipo de aceite de oliva utilizado el champú en pan debe "rastrearse" de diez a cuarenta minutos, es decir, cuando pequeñas cantidades de mezcla suben a la superficie dejando un rastro antes de hundirse nuevamente en la masa. Si algunos trozos de aceite aún cubren la superficie, continúe revolviendo hasta que se hayan incorporado, dejando una mezcla uniforme.

8. Incorpore cualquiera de los nutrientes que desee y luego agregue en forma inmediata los aceites esenciales revolviendo con energía con espátula hasta que se unan por completo sin llegar a batir. La mezcla del champú en pan incorporará fragancias artificiales con mayor facilidad pero los aceites esenciales siempre constituyen una elección superior.

COLOCACIÓN DENTRO DE LA MATRIZ

9. Una vez que los aceites se hayan distribuido en forma pareja y la mezcla haya alcanzado una apariencia uniforme, vierta el jabón rápidamente dentro del molde sin retirar los restos de jabón que queden en los bordes del recipiente. La mezcla debe ser suave, sin grumos y de textura y color uniformes. La aparición de zonas acuosas o aceitosas son signo de una solución mal mezclada que formará trozos de lejía sólida en el producto final. Intente verterlo en forma pareja desde un extremo al otro de la matriz para obtener panes de tamaños similares. Si detecta un cambio de textura, deténgase.

Si la última porción de la mezcla de jabón del fondo del recipiente es acuosa o no uniforme, no contamine el resto del lote agregando esta porción de jabón no saponificado.

Si el primer intento de verter la mezcla dentro de la matriz no es lo suficientemente rápido y la textura de la mezcla comienza a cambiar, separe esa parte hacia los ángulos con la ayuda de una espátula. Recuerde que los jabones pueden emparejarse con suavidad una vez que los panes de jabón se encuentre listos para ser cortados. Si se sigue esta receta con cuidado, es muy poco probable que se encuentre con este problema.

ESTACIONAMIENTO Y FRACCIONAMIENTO DE LOS PANES DE JABÓN

10. Cubra la bandeja con otra, con un trozo de madera terciada o bien con un trozo de cartón pesado; cubra con una o dos mantas. Déjela sin mover de dieciocho a veinticuatro horas. Este período es crítico porque el aislamiento permite que el jabón se caliente y complete así el proceso de elaboración.

11. Descubra la bandeja y verifique la firmeza de la masa. Este champú en pan puede necesitar de cinco a siete días para lograr la firmeza suficiente como para fraccionarlo.

12. Una vez firme, fracciónelo en panes. Primero utilice una regla y un cuchillo filoso de pelar para marcar las líneas divisorias de los panes. Luego, una vez satisfecho, corte hasta abajo a lo largo y a lo ancho. Sosteniendo los extremos del papel manteca, levante la capa de champú en pan y retírela de la bandeja. Con cuidado, quite el papel de los jabones y luego rebane una fina lonja de cada una de las caras del jabón para quitar las cenizas blancas del carbonato de sodio. (El champú en pan no tendrá tanta cantidad de cenizas como otros jabones). Empareje los bordes. Coloque los panes de jabón uno al lado del otro sobre una bolsa de papel madera o sobre un individual de ratán o mimbre. No utilice bolsas impresas porque los panes de jabón son aún alcalinos y absorberán la tinta. Coloque los jabones en un lugar seco y bien ventilado, y no los exponga a temperaturas extremas.

13. Deje estacionar los jabones de cuatro a seis semanas, girándolos una vez para exponer los otros lados. Durante este período los jabones se endurecen y suavizan. Envuélvalos como desee, preferentemente con un material poroso.

JABÓN DE UNA SOLA PARADA

Rinde aproximadamente 40 panes de jabón de 110g cada uno

Llamo a este jabón de esta forma porque todos los ingredientes pueden conseguirse en un solo supermercado grande. Esta receta es ideal para un principiante que todo lo que quiere es comenzar, sin tener la necesidad de comprar mucha cantidad de un determinado producto y sin esforzarse en rastrear ingredientes. Yo personalmente elaboré por meses este tipo de jabón en mis primeros tiempos en la actividad. Sin embargo, recuerde que debe pagar mucho más por cada 500g de ingrediente si compra las cantidades que se venden en los supermercados.

El "Jabón de una sola parada", así como el "Jabón esencial", es humectante y deja esa misma sensación asedada. Dado que contiene grandes cantidades de aceite de coco y de oliva, produce una hermosa espuma y deja la piel muy suave.

Tenga en cuenta que este jabón no permanece tan duro como el "Jabón esencial" al introducirlo en agua. Esto no significa que el producto final sea blando. Simplemente significa que tomará una cuantas semanas más para que el jabón se endurezca al tiempo

que se estaciona, y que una vez endurecido, no debe exponérselo a un exceso de agua. Permanecen firmes si se los mantiene lejos de la ducha y se los coloca en una jabonera después de usarlos. El jabón se ablandará si se lo deja en la bañera durante unos minutos. Aun si esto llegara a ocurrir, deje que recupere la firmeza en una jabonera.

- 1,36 kg de agua destilada fría (no necesita estar fría de refrigerador)
- 469 $^{7}/_{10}$ g de hidróxido de sodio
- 1,59 kg de aceite de oliva
- 1,13 kg de aceite de coco
- 907 g de margarina vegetal
- 30 g de extracto de semilla de pomelo (conservante natural), opcional
- Nutrientes extras (ver Capítulo 6), opcional
- de 45 a 50 g (aproximadamente de 15 a 18 cucharaditas) de aceite esencial puro (ver Capítulo 4), opcional

PREPARACIÓN DEL LUGAR DE TRABAJO

1. Antes de comenzar, lea el Capítulo 8, acondicione un lugar de trabajo y consiga el equipo necesario.
2. Forre la matriz o molde -una bandeja de madera o una caja de cartón fuerte- con papel manteca de alto rendimiento para freezer. Asegúrese de plegarlo en los ángulos y alisar el papel contra la caja. Adhiera los bordes del papel a la bandeja con cinta adhesiva para mantener el papel liso contra los bordes sin arrugas ni ondas.
3. Calcule la cantidad de aceite esencial, conservante y nutrientes extras y colóquelos aparte en recipientes bien cerrados.

MEZCLA DE LOS INGREDIENTES BÁSICOS

4. Colóquese las antiparras y los guantes. Pese el hidróxido de sodio y colóquelo aparte.
5. Coloque el recipiente de vidrio de 2 litros de capacidad sobre la balanza y agregue el agua destilada. Retire de la balanza. Con cuidado, agregue el hidróxido de sodio mientras revuelve en forma constante y enérgica con una espátula de goma. Los vapores lo perturbarán en unos diez segundos; por ello, retenga la respiración mientras revuelve y luego retírese de la habitación para tomar aire fresco. Regrese luego de dos o tres minutos para terminar de disolver el hidróxido de sodio. La reacción calentará la solución a más de 93ºC. Coloque el recipiente aparte en un lugar seguro para que la temperatura de la solución descienda a 27ºC. Si planea dejarlo

enfriar de la noche a la mañana, cubra bien el recipiente para evitar obtener una solución más débil.

6. Mientras la solución de hidróxido de sodio se enfría, comience a mezclar los aceites. Coloque la cuba de elaboración sobre la balanza y agregue el aceite de oliva. Coloque la sartén de 3 litros de capacidad sobre la balanza y agregue el aceite de coco y la margarina vegetal. Ubique la sartén sobre fuego lento hasta que la mayoría de los trozos sólidos se hayan derretido. Los trozos restantes se derretirán con el mismo calor de la sartén. Vierta la mezcla de los aceites calientes en la mezcla de aceite de oliva. Si elige un conservante natural, agregue el extracto de semilla de pomelo en los aceites y grasas tibios, revolviendo hasta unirlos por completo. Deje que la temperatura de los aceites descienda a 27ºC.

ELABORACIÓN DEL JABÓN

7. Una vez que la temperatura de los aceites y de la solución de lejía se encuentra próxima a los 27ºC ya estará preparado para hacer jabón. Si la temperatura de la lejía se encuentra por debajo de los 27ºC por haberla dejado enfriar de la noche a la mañana, caliéntela colocando el recipiente en un fregadero con agua caliente. Para volver a calentar los aceites de menos de 27ºC, colóquelos sobre fuego lento durante un corto período. Retire la sartén cuando la temperatura haya alcanzado los 24ºC; el calor mismo de la sartén llevará la temperatura a los 27ºC.

8. Una vez que tenga puestos los guantes y las antiparras, vierta con lentitud la lejía dentro del recipiente de los aceites, revolviendo con energía. Continúe revolviendo formando ochos para mantener en constante movimiento la mayor parte de la solución. No agite ni bata la mezcla. Más bien revuelva con energía durante todo el proceso. No intente retirar los restos de la mezcla de los bordes del recipiente. Este jabón deberá estar listo para recibir los aceites esenciales de siete a cuarenta minutos, según la variedad de aceite de oliva que utilice. (Lea acerca del aceite de oliva en el Capítulo 2).

Una vez que pequeñas cantidades de mezcla suben a la superficie dejando un rastro antes de hundirse nuevamente en la masa, el jabón ya estará listo. No espere hasta que el jabón se haya espesado tanto que los rastros permanezcan sobre la superficie o el jabón se endurecerá demasiado rápido una vez que haya agregado los aceites esenciales. Aun así, asegúrese de que todos los aceites sobre la superficie se hayan incorporado dejando una mezcla uniforme.

9. Incorpore cualquiera de los nutrientes que desee y luego agregue en forma inmediata los aceites esenciales para perfumar el jabón, revolviendo con energía con espátula hasta que se unan por completo sin llegar a batir. Revuelva durante veinte o treinta segundos o el menor tiempo necesario, hasta que los aceites esenciales se hayan incorporado por completo. Si se revuelve demasiado, se veteará y se formarán grumos (una formación que hace difícil, si no imposible, verter el jabón en la matriz). Utilice aceites esenciales puros para lograr que se incorporen en forma pareja en el producto. Es mucho más probable que los aceites con fragancias artificiales formen grumos.

COLOCACIÓN DENTRO DE LA MATRIZ

10. Una vez que los aceites se hayan distribuido en forma pareja y la mezcla haya alcanzado una apariencia uniforme, vierta el jabón rápidamente dentro del molde sin retirar los restos de jabón que queden en los bordes del recipiente. La aparición de zonas acuosas o aceitosas son signo de una solución mal mezclada que formará trozos de lejía sólida en el producto final. La mezcla debe ser suave, sin grumos y de textura y color uniformes. Intente verterlo en forma pareja desde un extremo al otro de la matriz para obtener panes de tamaños similares. Si detecta un cambio de textura, deténgase.

Si la última porción de la mezcla de jabón del fondo del recipiente es acuosa o no uniforme, se debe a que no se unió bien la mezcla. No contamine el resto del lote agregando esta porción de jabón no saponificado. Es mejor desecharla.

Si el primer intento de verter la mezcla dentro de la matriz no es lo suficientemente rápido y la textura de la mezcla comienza a cambiar, separe esa parte hacia los ángulos con la ayuda de una espátula. Recuerde que los jabones pueden emparejarse con suavidad una vez que los panes de jabón se encuentren listos para ser cortados. Si se sigue esta receta con cuidado, es muy poco probable que se encuentre con este problema. Cubra la bandeja con otra, con un trozo de madera terciada o bien con un trozo de cartón pesado; cubra con una o dos mantas. Déjela sin mover de dieciocho a veinticuatro horas. Este período es crítico porque el aislamiento permite que el jabón se caliente y complete así el proceso de elaboración.

ESTACIONAMIENTO Y FRACCIONAMIENTO DE LOS PANES DE JABÓN

11. Descubra la bandeja y aléjela de las corrientes de aire y bajas temperaturas de uno a siete días o hasta que el jabón se encuentre tan firme como para poder fraccionarlo. No espere a que se endurezcan como piedra.

12. Utilice una regla y un cuchillo filoso de pelar para marcar las líneas divisorias de los panes. Luego, una vez satisfecho, corte hasta abajo a lo largo y a lo ancho. Sosteniendo los extremos del papel manteca, levante la capa de jabón en pan y retírela de la bandeja. Con cuidado, quite el papel de los jabones y luego rebane una fina lonja de cada una de las caras del jabón para quitar las cenizas blancas del carbonato de sodio (ver el asterisco a continuación de la receta del "Jabón esencial"). Asimismo, empareje los bordes.

13. Coloque los panes de jabón uno al lado del otro sobre una bolsa de papel madera o sobre un individual de ratán o mimbre. No utilice bolsas impresas porque los panes de jabón son aún alcalinos y absorberán la tinta. Coloque los jabones en un lugar seco y bien ventilado, y no los exponga a temperaturas extremas.

14. Deje estacionar los jabones de cuatro a seis semanas, girándolos una vez para exponer los otros lados. Éste es un período importante porque los jabones se endurecen y suavizan. Envuélvalos como desee, preferentemente en un material poroso.

JABÓN DEL GOURMET

Rinde aproximadamente 40 panes de jabón de 110g cada uno

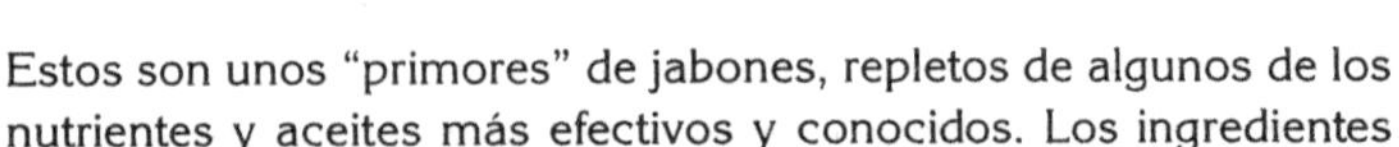

Estos son unos "primores" de jabones, repletos de algunos de los nutrientes y aceites más efectivos y conocidos. Los ingredientes son costosos, por lo que considero a mi "Jabón del gourmet" más un capricho que parte de una rutina. Pero para esos amigos o conocidos a los que le gustaría malcriar de vez en cuando, he aquí una sugerencia. Guárdese algunos jabones para usted.

Debe experimetarlo para poder apreciarlo.

- 1,36 kg de agua destilada fría (no necesita estar fría de refrigerador)
- 475 g de hidróxido de sodio
- 907 g de aceite de oliva
- 227 g de aceite de almendra dulce
- 227 g de aceite de pepita de damasco
- 227 g de aceite de semilla de kukui
- 227 g de aceite de jojoba
- 1,13 kg de aceite de coco
- 680 g de aceite de palma
- 113 g de manteca de galam (también conocida como manteca karite africana)

- 30 g de extracto de semilla de pomelo (conservante natural), opcional
- Nutrientes extras (ver Capítulo 6), opcional
- de 45 a 50 g (aproximadamente de 15 a 18 cucharaditas) de aceite esencial puro (ver Capítulo 4), opcional

PREPARACIÓN DEL LUGAR DE TRABAJO

1. Antes de comenzar, lea el Capítulo 8, acondicione un lugar de trabajo y consiga el equipo necesario.
2. Forre la matriz o molde -una bandeja de madera o una caja de cartón fuerte- con papel manteca de alto rendimiento para freezer. Asegúrese de plegarlo en los ángulos y alisar el papel contra la caja. Adhiera los bordes de papel a la bandeja con cinta adhesiva para mantener el papel liso contra los bordes sin arrugas ni ondas.
3. Calcule la cantidad de aceite esencial, conservante y nutrientes extras y colóquelos aparte en recipientes bien cerrados.

MEZCLA DE LOS INGREDIENTES BÁSICOS

4. Colóquese las antiparras y los guantes. Pese el hidróxido de sodio y colóquelo aparte.
5. Coloque el recipiente de vidrio de 2 litros de capacidad sobre la balanza y agregue el agua destilada. Retire de la balanza. Con cuidado, agregue el hidróxido de sodio mientras revuelve en forma constante y enérgica con una espátula de goma. Los vapores lo perturbarán en unos diez segundos; por ello, retenga la respiración mientras revuelve y luego retírese de la habitación para tomar aire fresco. Regrese luego de dos o tres minutos para terminar de disolver el hidróxido de sodio. La reacción calentará la solución a más de 93ºC, por eso coloque el recipiente aparte en un lugar seguro para que la temperatura de la solución descienda a 27ºC. Si planea dejarlo enfriar de la noche a la mañana, cubra bien el recipiente para evitar obtener una solución más débil.
6. Mientras la solución de hidróxido de sodio se enfría, comience a mezclar los aceites. Coloque la cuba de elaboración sobre la balanza y agregue el aceite de oliva, el de almendra dulce, el aceite de pepita de damasco, el de semilla de kukui y el aceite de jojoba. Coloque la sartén de 3 litros de capacidad sobre la balanza y agregue el aceite de coco, el aceite de palma y la manteca de galam. Ubique la sartén sobre fuego lento hasta que la mayoría de los trozos sólidos se hayan derretido. Los trozos restantes se derretirán con el mismo calor de la sartén. Vierta la mezcla de los aceites calientes en la mezcla de aceite de oliva. Si elige un conservante natural, agregue el extracto de semilla de pomelo en los aceites y grasas tibios,

revolviendo hasta unirlos por completo. Deje que la temperatura de los aceites descienda a 27ºC.

ELABORACIÓN DEL JABÓN

7. Una vez que la temperatura de los aceites y de la solución de lejía se encuentra próxima a los 27ºC ya estará preparado para hacer jabón. Si la temperatura de la lejía se encuentra por debajo de los 27ºC por haberla dejado enfriar de la noche a la mañana, caliéntela colocando el recipiente en un fregadero con agua caliente. Para volver a calentar los aceites de menos de 27ºC, colóquelos sobre fuego lento durante un corto período. Retire la sartén cuando la temperatura haya alcanzado los 24ºC; el calor mismo de la sartén llevará la temperatura a los 27ºC.

8. Una vez que tenga puestos los guantes y las antiparras, vierta con lentitud la lejía dentro del recipiente de los aceites, revolviendo con energía. Continúe revolviendo formando ochos para mantener en constante movimiento la mayor parte de la solución. No agite ni bata la mezcla. Más bien revuelva con energía durante todo el proceso. No intente retirar los restos de la mezcla de los bordes del recipiente. Este jabón deberá estar listo para recibir los aceites esenciales en siete a cuarenta minutos.

Una vez que pequeñas cantidades de mezcla suben a la superficie dejando un rastro antes de hundirse nuevamente en la masa, el jabón ya estará listo. No espere hasta que el jabón se haya espesado tanto que los rastros permanezcan sobre la superficie o el jabón se endurecerá demasiado rápido una vez que haya agregado los aceites esenciales. Aun así, asegúrese de que todos los aceites sobre la superficie se hayan incorporado dejando una mezcla uniforme.

9. Incorpore cualquiera de los nutrientes que desee y luego agregue en forma inmediata los aceites esenciales para perfumar el jabón, revolviendo con energía con una espátula hasta que se unan por completo, sin llegar a batir. Revuelva durante veinte o treinta segundos o el menor tiempo necesario hasta que los aceites esenciales se hayan incorporado por completo. Si se revuelve demasiado se veteará y se formarán grumos (una formación que hace difícil, si no imposible, verter el jabón en la matriz). Utilice aceites esenciales puros para perfumar este "Jabón del gourmet". Los ingredientes son demasiado costosos y puros como para contaminar el lote con un chorro final de fragancia artificial.

COLOCACIÓN DENTRO DE LA MATRIZ

10. Una vez que los aceites se hayan distribuido en forma pareja y la mezcla haya alcanzado una apariencia uniforme, vierta el jabón rápidamente dentro del molde sin retirar los restos de jabón que queden en los bordes del recipiente. La aparición de zonas acuosas o aceitosas son signo de una solución mal mezclada que formará trozos de lejía sólida en el producto final. La mezcla debe ser suave, sin grumos y de textura y color uniformes. Intente verterlo en forma pareja desde un extremo al otro de la matriz para obtener panes de tamaños similares. Si detecta un cambio de textura, deténgase.

Si la última porción de la mezcla de jabón del fondo del recipiente es acuosa o no uniforme, se debe a que no se unió bien la mezcla. No contamine el resto del lote agregando esta porción de jabón no saponificado. Es mejor desecharla.

Si el primer intento de verter la mezcla dentro de la matriz no es lo suficientemente rápido y la textura de la mezcla comienza a cambiar, separe esa parte hacia los ángulos con la ayuda de una espátula. Recuerde que los jabones pueden emparejarse con suavidad una vez que los panes se encuentre listos para ser cortados. Cubra la bandeja con otra, con un trozo de madera terciada o bien con un trozo de cartón pesado; cubra con una o dos mantas. Déjela sin mover de dieciocho a veinticuatro horas. Este período es crítico porque el aislamiento permite que el jabón se caliente y complete así el proceso de elaboración.

ESTACIONAMIENTO Y FRACCIONAMIENTO DE LOS PANES DE JABÓN

11. Descubra la bandeja y aléjela de las corrientes de aire y bajas temperaturas de uno a siete días o hasta que el jabón se encuentre tan firme como para poder fraccionarlo. No espere a que se endurezcan como piedra.

12. Utilice una regla y un cuchillo filoso de pelar para marcar las líneas divisorias de los panes con suavidad, sin llegar a la bandeja. Una vez que los panes se vean parejos y uniformes, corte hasta abajo a lo largo y a lo ancho hasta la superficie de la bandeja. Sosteniendo los extremos del papel manteca, levante la capa de jabones en pan y retírela de la bandeja. Con cuidado, quite el papel de los jabones y luego rebane una fina lonja de cada una de las caras del jabón para quitar las cenizas blancas del carbonato de sodio (ver el asterisco que se encuentra a continuación de la receta del "Jabón esencial"). Asimismo, empareje los bordes.

13. Coloque los panes de jabón uno al lado del otro sobre una bolsa de papel madera o sobre un individual de ratán o mimbre. No utilice bolsas impresas porque los panes de jabón son aún alcalinos y absorberán la tinta. Coloque los jabones en un lugar seco y bien ventilado, y no los exponga a temperaturas extremas.

14. Deje estacionar los jabones de cuatro a seis semanas, girándolos una vez para exponer los otros lados. Éste es un período importante porque los jabones se endurecen y suavizan. Envuélvalos como desee, preferentemente con un material poroso.

JABÓN DE LECHE DE CABRA

Rinde aproximadamente 40 panes de jabón de 110g cada uno

Este jabón ofrece las cualidades del "Jabón esencial" más las propiedades humectantes de la leche de cabra. Agrego sólo la cantidad suficiente de leche de cabra que afecte la mezcla, porque demasiada leche hace que el jabón sea más vulnerable a ponerse rancio prematuramente.

Aunque el agregado de la leche de cebra implique un poco más de precisión y cuidado, es divertido experimentar con otras recetas. Me fascina perfumar estos jabones con una de las mezclas con sasafrás. Este jabón es hogareño y fresco.

- 1,13 kg de agua destilada fría (no necesita estar fría de refrigerador)
- 473 g de hidróxido de sodio
- 1,81 kg de aceite de oliva
- 1,13 kg de aceite de coco
- 680 g de aceite de palma
- 30 g de extracto de semilla de pomelo (conservante natural), opcional
- $2\,^{2}/_{10}$ g de tocoferol (conservante natural), opcional
- 227 g de leche de cabra fría
- Nutrientes extras (ver Capítulo 6), opcional
- de 45 a 50 g (aproximadamente de 15 a 18 cucharaditas) de aceite esencial puro (ver Capítulo 4), opcional

PREPARACIÓN DEL LUGAR DE TRABAJO

1. Antes de comenzar, lea el Capítulo 8, acondicione un lugar de trabajo y consiga el equipo necesario.
2. Forre la matriz o molde -una bandeja de madera o una caja de cartón fuerte - con papel manteca de alto rendimiento para freezer. Asegúrese de plegarlo en los ángulos y alisar el papel contra la caja. Adhiera los bordes de papel a la bandeja con cinta adhesiva para mantener el papel liso contra los bordes sin arrugas ni ondas.
3. Calcule la cantidad de aceite esencial, conservante y nutrientes extras y colóquelos aparte en recipientes bien cerrados.

MEZCLA DE LOS INGREDIENTES BÁSICOS

4. Colóquese las antiparras y los guantes. Pese el hidróxido de sodio y colóquelo aparte.

5. Coloque el recipiente de vidrio de 2 litros de capacidad sobre la balanza y agregue el agua destilada. Retire de la balanza. Con cuidado, agregue el hidróxido de sodio mientras revuelve en forma constante y enérgica con una espátula de goma. Los vapores lo perturbarán en unos diez segundos; por ello, retenga la respiración mientras revuelve y luego retírese de la habitación para tomar aire fresco. Regrese luego de dos o tres minutos para terminar de disolver el hidróxido de sodio. La reacción calentará la solución a más de 93ºC, por eso coloque el recipiente aparte en un lugar seguro para que la temperatura de la solución descienda a 27ºC. Si planea dejarlo enfriar de la noche a la mañana, cubra bien el recipiente para evitar obtener una solución más débil.
6. Mientras la solución de hidróxido de sodio se enfría, comience a mezclar los aceites. Coloque la cuba de elaboración sobre la balanza y agregue el aceite de oliva. Coloque la sartén de 3 litros de capacidad sobre la balanza y agregue el aceite de coco y el aceite de palma. Ubique la sartén sobre fuego lento hasta que la mayoría de los trozos sólidos se hayan derretido. Los trozos restantes se derretirán con el mismo calor de la sartén. Vierta la mezcla de los aceites calientes en la mezcla de aceite de oliva. Si elige un conservante natural (ver Capítulo 7), agregue el extracto de semilla de pomelo y el tocoferol en los aceites y grasas tibios, revolviendo hasta unirlos por completo. Deje que la temperatura de los aceites descienda a 27ºC.

ELABORACIÓN DEL JABÓN

7. A medida que la temperatura de la solución de lejía se vaya acercando a los 27ºC, caliente la leche de cabra hasta los 27ºC revolviendo constantemente y con suavidad. En este momento, asegúrese de que la temperatura de los aceites ya se encuentre en los 27ºC para ya tenerlos listos y a mano. Si están demasiado fríos, caliéntelos colocando el recipiente a fuego lento y retire del fuego una vez que los aceites hayan alcanzado los 24ºC. (El calor mismo de los aceites elevará la temperatura de la solución a los 27ºC).
8. Agregue con lentitud la solución de lejía en forma de lluvia en el recipiente con la leche de cabra y revuelva la mezcla con energía para evitar la formación de grumos. La combinación de la lejía y la leche puede causar que la temperatura de la mezcla se eleve unos cuantos grados, aunque no será a más de 29ºC.
9. Una vez que tenga puestos los guantes y las antiparras, vierta con lentitud la solución de lejía y leche dentro del recipiente de los aceites, revolviendo con energía. Continúe revolviendo formando ochos para mantener en constante movimiento la mayor parte de la solución. No agite ni bata la mezcla. Más bien revuelva con energía

durante todo el proceso. No intente retirar los restos de la mezcla de los bordes del recipiente. Este jabón puede resultar un tanto granulado y puede tardar de diez a cuarenta minutos en saponificarse, según la variedad de aceite de oliva que utilice y de la precisión lograda en las temperaturas. (Leer acerca del aceite de oliva en el Capítulo 2).

Una vez que pequeñas cantidades de mezcla suben a la superficie dejando un rastro antes de hundirse nuevamente en la masa, el jabón ya estará listo para recibir los aceites esenciales. Aun así, asegúrese de que todos los aceites sobre la superficie se hayan incorporado dejando una mezcla uniforme.

10. Incorpore cualquiera de los nutrientes que desee y luego agregue en forma inmediata los aceites esenciales para perfumar el jabón, revolviendo con energía con una espátula hasta que se unan por completo, sin llegar a batir. Revuelva durante veinte o treinta segundos o el menor tiempo necesario hasta que los aceites esenciales se hayan incorporado por completo. Si se revuelve demasiado se veteará y se formarán grumos (una formación rápida que hace difícil, si no imposible, verter el jabón en la matriz). Utilice aceites esenciales puros para incorporar el producto en forma uniforme; los aceites perfumados artificiales son más propensos a formar grumos.

COLOCACIÓN DENTRO DE LA MATRIZ

11. Vierta el jabón rápidamente dentro del molde sin retirar los restos de jabón que queden en los bordes del recipiente. La mezcla debe ser pareja y uniforme. Intente verterla en forma pareja desde un extremo al otro de la matriz para obtener panes de tamaños similares. Si el primer intento no es lo suficientemente rápido, y la mezcla comienza a esparcirse en forma despareja, utilice una espátula para esparcirla hacia los bordes. Tenga presente que los jabones pueden ser emparejados con facilidad una vez que los panes se encuentren listos para fraccionarse.

Si la última porción de la mezcla de jabón del fondo del recipiente es acuosa o no uniforme, se debe a que no se unió bien la mezcla. Las burbujas de agua o aceite demuestran que la solución no ha sido bien revuelta, lo que resultará en burbujas de lejía sólida en el producto final. No contamine el resto del lote agregando esta porción de jabón no saponificado. Es mejor desecharla.

ESTACIONAMIENTO Y FRACCIONAMIENTO DE LOS PANES DE JABÓN

12. Cubra la bandeja con otra, con un trozo de madera terciada o bien con un trozo de cartón pesado; cubra con una o dos mantas. Déjela sin mover de dieciocho a veinticuatro horas. Este período es crítico porque el aislamiento permite que el jabón se caliente y complete así el proceso de elaboración.

13. Descubra la bandeja y aléjela de las corrientes de aire y bajas temperaturas de uno a siete días o hasta que el jabón se encuentre tan firme como para poder fraccionarlo. No espere a que se endurezcan como piedra.

14. Utilice una regla y un cuchillo filoso de pelar para marcar las líneas divisorias de los panes con suavidad, sin llegar a la bandeja. Una vez que los panes se vean parejos y uniformes, corte hasta abajo a lo largo y a lo ancho, hasta la superficie de la bandeja. Sosteniendo los extremos del papel manteca, levante la capa de jabones en pan y retírela de la bandeja. Con cuidado, quite el papel de los jabones y luego rebane una fina lámina de cada una de las caras del jabón para quitar las cenizas blancas del carbonato de sodio (ver el asterisco que se encuentra a continuación de la receta del "Jabón esencial" en el Capítulo 9). Asimismo, empareje los bordes.

15. Coloque los panes de jabón uno al lado del otro sobre una bolsa de papel madera o sobre un individual de ratán o mimbre. No utilice bolsas impresas porque los panes de jabón son aún alcalinos y absorberán la tinta. Coloque los jabones en un lugar seco y bien ventilado, y no los exponga a temperaturas extremas.

16. Deje estacionar los jabones de cuatro a seis semanas, girándolos una vez para exponer los otros lados. Éste es un período importante porque los jabones se endurecen y suavizan. Envuélvalos como desee, preferentemente con un material poroso.

JABÓN A BASE DE PALTA

Rinde aproximadamente 40 panes de jabón de 110g cada uno

Resístase a la tentación de colorear este jabón en un tono verdoso artificial. El aceite de palta es un excelente aceite vegetal. Uno de los mejores. Por lo general la piel sensible reacciona bien a esta fórmula. Es una fórmula supergrasa que contiene aceite de palta no saponificado agregado inmediatamente antes de verter la mezcla. Cualquier jabón supergraso es más propenso a tornarse rancio, pero este jabón tiene una vida útil más corta. Agregue aceite de semillas de pomelo para obtener una mayor protección.

- 1,36 kg de agua destilada fría (no necesita estar fría de refrigerador)
- 470 $^{7}/_{10}$ g de hidróxido de sodio
- 1,36 kg de aceite de palta

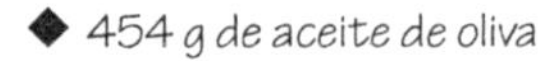
- 454 g de aceite de oliva

- 1,13 kg de aceite de coco

- 680 g de aceite de palma

- 30 g de extracto de semilla de pomelo (conservante natural), opcional
- 2 cucharadas (30 ml) de aceite de palta adicional (agregarlas inmediatamente antes de verter el jabón en la matriz)
- Nutrientes extras (ver Capítulo 6), opcional
- de 45 a 50 g (aproximadamente de 15 a 18 cucharaditas) de aceite esencial puro (ver Capítulo 4), opcional

PREPARACIÓN DEL LUGAR DE TRABAJO

1. Antes de comenzar, lea el Capítulo 8, acondicione un lugar de trabajo y consiga el equipo necesario.
2. Forre la matriz o molde -una bandeja de madera o una caja de cartón fuerte - con papel manteca de alto rendimiento para freezer. Asegúrese de plegarlo en los ángulos y alisar el papel contra la caja. Adhiera los bordes de papel a la bandeja con cinta adhesiva para mantener el papel liso contra los bordes sin arrugas ni ondas.
3. Calcule la cantidad de aceite esencial, conservante y nutrientes extras (incluyendo las 2 cucharadas de aceite de palta) y colóquelos aparte en recipientes bien cerrados.

MEZCLA DE LOS INGREDIENTES BÁSICOS

4. Colóquese las antiparras y los guantes. Pese el hidróxido de sodio y colóquelo aparte.
5. Coloque el recipiente de vidrio de 2 litros de capacidad sobre la balanza y agregue el agua destilada. Retire de la balanza. Con cuidado, agregue el hidróxido de sodio mientras revuelve en forma constante y enérgica con una espátula de goma. Los vapores lo perturbarán en unos diez segundos; por ello, retenga la respiración mientras revuelve y luego retírese de la habitación para tomar aire fresco. Regrese luego de dos o tres minutos para terminar de disolver el hidróxido de sodio. La reacción calentará la solución a más de 93ºC, por eso coloque el recipiente aparte en un lugar seguro para que la temperatura de la solución descienda a 27ºC. Si planea dejarlo enfriar de la noche a la mañana, cubra bien el recipiente para evitar obtener una solución más débil.
6. Mientras la solución de hidróxido de sodio se enfría, comience a mezclar los aceites. Coloque la cuba de elaboración sobre la balanza y agregue el aceite de oliva y el de palta. Coloque la sartén de 3 litros de capacidad sobre la balanza y agregue el aceite de coco y el aceite de palma. Ubique la sartén sobre fuego lento hasta que la

mayoría de los trozos sólidos se hayan derretido. Los trozos restantes se derretirán con el mismo calor de la sartén. Vierta la mezcla de los aceites calientes en la mezcla de aceite de oliva. Si elige un conservante natural, agregue el extracto de semilla de pomelo en los aceites y grasas tibios, revolviendo hasta unirlos por completo. Deje que la temperatura de los aceites descienda a 27ºC.

ELABORACIÓN DEL JABÓN

7. Usted estará listo para elaborar el jabón una vez que la temperatura de la solución de lejía y de los aceites llegue a los 27ºC. Si ha dejado enfriar la lejía de un día para el otro y la temperatura se encuentra por debajo de la marca deseada, caliéntela colocando el recipiente en un fregadero con agua caliente. Los aceites pueden calentarse a fuego lento en la cocina durante un breve período. Retire del fuego una vez que los aceites hayan alcanzado los 24ºC. (El calor mismo de los aceites elevará la temperatura de la solución a los 27ºC).

8. Una vez que tenga puestos los guantes y las antiparras, vierta con lentitud la solución de lejía dentro del recipiente de los aceites, revolviendo con energía. Continúe revolviendo formando ochos para mantener en constante movimiento la mayor parte de la solución. No agite ni bata la mezcla. Más bien revuelva con energía durante todo el proceso. No intente retirar los restos de la mezcla de los bordes del recipiente. Este jabón estará listo en siete a cuarenta minutos, según la variedad de aceite de oliva que utilice. (Leer acerca del aceite de oliva en el Capítulo 2).

Una vez que pequeñas cantidades de mezcla suban a la superficie dejando un rastro antes de hundirse nuevamente en la masa, el jabón ya estará listo. No espere hasta que el jabón se espese demasiado para poder observar el rastro en la superficie, o el jabón se endurecerá demasiado rápidamente una vez que agregue los aceites esenciales. Aun así, asegúrese de que todos los aceites sobre la superficie se hayan incorporado dejando una mezcla uniforme.

9. Con suavidad incorpore las dos cucharadas de aceite de palta uniéndolas en la mezcla por completo. Este aceite extra engrasará aún más la mezcla.

10. Incorpore en forma inmediata los aceites esenciales para perfumar el jabón, revolviendo con energía con una espátula hasta que se unan por completo sin llegar a batir. Revuelva durante veinte o treinta segundos o el menor tiempo necesario hasta que los aceites esenciales se hayan incorporado por completo. Si se revuelve demasiado se veteará y se formarán grumos (una formación rápida que hace difícil, si no imposible, verter el jabón en la matriz). Utilice aceites esenciales puros para incorporar el producto en forma uniforme; los aceites perfumados artificiales son más propensos a formar grumos.

COLOCACIÓN DENTRO DE LA MATRIZ

11. Una vez que los aceites se hayan distribuido en forma pareja y el jabón presente una apariencia uniforme, vierta el jabón rápidamente dentro del molde sin retirar los restos de jabón que queden en los bordes del recipiente. Las burbujas de agua o aceite demuestran que la solución no ha sido bien revuelta, lo que resultará en burbujas de lejía sólida en el producto final. La mezcla debe ser pareja y sin grumos, de textura y color uniformes. Intente verterla en forma pareja desde un extremo al otro de la matriz para obtener panes de tamaños similares. Deténgase si observa un cambio de textura.

Si la última porción de la mezcla de jabón del fondo del recipiente es acuosa o no uniforme, se debe a que no se unió bien la mezcla. No contamine el resto del lote agregando esta porción de jabón no saponificado. Es mejor desecharla.

Si su primer intento de verter la mezcla en los moldes no es lo suficientemente rápida y la mezcla comienza a espesarse, utilice una espátula para esparcirla hacia los bordes. Tenga en cuenta que los jabones pueden ser emparejados con facilidad una vez que se encuentren listos para ser fraccionados. Si se sigue la receta con cuidado, es poco probable que se encuentre con este tipo de problemas. Cubra la bandeja con otra, con un trozo de madera terciada o bien con un trozo de cartón pesado; cubra con una o dos mantas. Déjela sin mover de dieciocho a veinticuatro horas. Este período es crítico porque el aislamiento permite que el jabón se caliente y complete así el proceso de elaboración.

ESTACIONAMIENTO Y FRACCIONAMIENTO DE LOS PANES DE JABÓN

12. Descubra la bandeja y aléjela de las corrientes de aire y bajas temperaturas de uno a siete días o hasta que el jabón se encuentre tan firme como para poder fraccionarlo. No espere a que se endurezcan como piedra.

13. Utilice una regla y un cuchillo filoso de pelar para marcar las líneas divisorias de los panes con suavidad, sin llegar a la bandeja. Una vez que los panes se vean parejos y uniformes, corte hasta abajo a lo largo y a lo ancho, hasta la superficie de la bandeja. Sosteniendo los extremos del papel manteca, levante la capa de jabones en pan y retírela de la bandeja. Con cuidado, quite el papel de los jabones y luego rebane una fina lámina de cada una de las caras del jabón para quitar las cenizas blancas del carbonato de sodio (ver el asterisco a continuación de la receta del "Jabón esencial"). Asimismo, empareje los bordes.

14. Coloque los panes de jabón uno al lado del otro sobre una bolsa de papel madera o sobre un individual de ratán o mimbre. No utilice bolsas impresas porque los panes de jabón son aún alcalinos y absorberán la tinta. Coloque los jabones en un lugar seco y bien ventilado, y no los exponga a temperaturas extremas.
15. Deje estacionar los jabones de cuatro a seis semanas, girándolos una vez para exponer los otros lados. Éste es un período importante porque los jabones se endurecen y suavizan. Envuélvalos como desee, preferentemente con un material poroso.

JABÓN CON UN TOQUE DE SEBO

Rinde aproximadamente 40 panes de jabón de 110g cada uno

Para aquellas personas que les gustaría comparar un jabón vegetal con uno de sebo, he incluido una fórmula a base de sebo. Desde porque la mayoría de los fabricantes de jabones no lo llamaría un jabón de sebo porque sólo contiene un 18,75 por ciento de este producto. Pero si consideramos las limitaciones del sebo para el cuidado de la piel, sólo debería utilizarse con aceites beneficiosos.

He incluido una gran cantidad de aceite de oliva dadas sus propiedades humectantes. Asimismo, el aceite de coco produce una buena espuma. Los aceites de palta y de almendra dulce son nutrientes suaves y efectivos. De ser necesario, puede sustituirse 450 g extra de aceite de oliva por otros aceites más costosos.

- 1,36 kg de agua destilada fría (no necesita estar fría de refrigerador)
- 472 g de hidróxido de sodio
- 1,36 kg de aceite de oliva
- 227 g de aceite de palta
- 1,13 kg de aceite de coco
- 680 g de sebo
- 227 g de aceite de almendra dulce
- 30 g de extracto de semilla de pomelo (conservante natural), opcional
- 2 $^{2}/_{10}$ g de tocoferol (conservante natural), opcional
- Nutrientes extras (ver Capítulo 6), opcional
- de 45 a 50 g (aproximadamente de 15 a 18 cucharaditas) de aceite esencial puro (ver Capítulo 4), opcional

PREPARACIÓN DEL LUGAR DE TRABAJO

1. Antes de comenzar, lea el Capítulo 8, acondicione un lugar de trabajo y consiga el equipo necesario.

2. Forre la matriz o molde -una bandeja de madera o una caja de cartón fuerte- con papel manteca de alto rendimiento para freezer. Asegúrese de plegarlo en los ángulos y alisar el papel contra la caja. Adhiera los bordes de papel a la bandeja con cinta adhesiva para mantener el papel liso contra los bordes sin arrugas ni ondas.

3. Calcule la cantidad de aceite esencial, conservante y nutrientes extras y colóquelos aparte en recipientes bien cerrados.

MEZCLA DE LOS INGREDIENTES BÁSICOS

4. Colóquese las antiparras y los guantes. Pese el hidróxido de sodio y colóquelo aparte.

5. Coloque el recipiente de vidrio de 2 litros de capacidad sobre la balanza y agregue el agua destilada. Retire de la balanza. Con cuidado, agregue el hidróxido de sodio mientras revuelve en forma constante y enérgica con una espátula de goma. Los vapores lo perturbarán en unos diez segundos; por ello, retenga la respiración mientras revuelve y luego retírese de la habitación para tomar aire fresco. Regrese luego de dos o tres minutos para terminar de disolver el hidróxido de sodio. La reacción calentará la solución a más de 93ºC, por eso coloque el recipiente aparte en un lugar seguro para que la temperatura de la solución descienda a 27ºC. Si planea dejarlo enfriar de la noche a la mañana, cubra bien el recipiente para evitar obtener una solución más débil.

6. Mientras la solución de hidróxido de sodio se enfría, comience a mezclar los aceites. Coloque la cuba de elaboración sobre la balanza y agregue el aceite de oliva, el aceite de almendra dulce y el de palta. Coloque la sartén de 3 litros de capacidad sobre la balanza y agregue el aceite de coco y el sebo. Ubique la sartén sobre fuego lento hasta que la mayoría de los trozos sólidos se hayan derretido. Los trozos restantes se derretirán con el mismo calor de la sartén. Vierta la mezcla de los aceites calientes en la mezcla de aceite de oliva. Si elige un conservante natural, agregue el extracto de semilla de pomelo y el tocoferol en los aceites y grasas tibios, revolviendo hasta unirlos por completo. Deje que la temperatura de los aceites descienda a 27ºC.

ELABORACIÓN DEL JABÓN

7. Usted estará preparado para elaborar el jabón una vez que la temperatura de la solución de lejía y de los aceites llegue a los 27ºC. Si ha dejado enfriar la lejía de un día para el otro y la temperatura se encuentra por debajo de la marca deseada, caliéntela colocando el recipiente en un fregadero con agua caliente. Los aceites pueden calentarse a fuego lento en la cocina durante un breve período, de ser necesario. Retire del fuego una vez que los aceites hayan alcanzado los 24ºC. El calor mismo de los aceites elevará la temperatura de la solución a los 27ºC.

8. Una vez que tenga puestos los guantes y las antiparras, vierta con lentitud la solución de lejía dentro del recipiente de los aceites, revolviendo con energía. Continúe revolviendo formando ochos para mantener en constante movimiento la mayor parte de la solución. No agite ni bata la mezcla. Más bien revuelva con energía durante todo el proceso. No intente retirar los restos de la mezcla de los bordes del recipiente. Este jabón estará listo en siete a veinte minutos.

Una vez que pequeñas cantidades de mezcla suban a la superficie dejando un rastro antes de hundirse nuevamente en la masa, el jabón ya estará listo. No espere hasta que el jabón se espese demasiado para poder observar el rastro en la superficie, o el jabón se endurecerá demasiado rápidamente una vez que agregue los aceites esenciales. Aun así, asegúrese de que todos los aceites sobre la superficie se hayan incorporado dejando una mezcla uniforme.

9. Incorpore los nutrientes que desee y luego agregue los aceites esenciales para perfumar el jabón, revolviendo con energía con una espátula hasta que se unan por completo sin llegar a batir. Revuelva durante veinte o treinta segundos o el menor tiempo necesario, hasta que los aceites esenciales se hayan incorporado por completo. Si se revuelve demasiado se veteará y se formarán grumos (una formación rápida que hace difícil, si no imposible, verter el jabón en la matriz). Utilice aceites esenciales puros para incorporar el producto en forma uniforme; los aceites perfumados artificiales son más propensos a formar grumos.

COLOCACIÓN DENTRO DE LA MATRIZ

10. Una vez que los aceites se hayan distribuido en forma pareja y el jabón presente una apariencia uniforme, vierta el jabón rápidamente dentro del molde sin retirar los restos de jabón que queden en los bordes del recipiente. Las burbujas de agua o aceite demuestran que la solución no ha sido bien revuelta, lo que resultará en burbujas de lejía sólida en el producto final. La mezcla debe ser pareja y sin grumos, de textura y color uniformes. Intente verterla en forma pareja desde un extremo al otro de la matriz para obtener panes de tamaños similares. Deténgase si observa un cambio de textura.

Si la última porción de la mezcla de jabón del fondo del recipiente es acuosa o no uniforme, se debe a que no se unió bien la mezcla. No contamine el resto del lote agregando esta porción de jabón no saponificado. Es mejor desecharla.

Si su primer intento de verter la mezcla en los moldes no es lo suficientemente rápida y la mezcla comienza a espesarse en forma despareja, utilice una espátula para esparcirla hacia los bordes. Tenga en cuenta que los jabones pueden ser emparejados con facilidad una vez que se encuentren listos para ser fraccionados. Si se sigue la receta con cuidado, es poco probable que se encuentre con este tipo de problemas.

ESTACIONAMIENTO Y FRACCIONAMIENTO DE LOS PANES DE JABÓN

11. Cubra la bandeja con otra, con un trozo de madera terciada o bien con un trozo de cartón pesado; cubra con una o dos mantas. Déjela sin mover de dieciocho a veinticuatro horas. Este período es crítico porque el aislamiento permite que el jabón se caliente y complete así el proceso de saponificación.

12. Descubra la bandeja y aléjela de las corrientes de aire y bajas temperaturas de uno a siete días o hasta que el jabón se encuentre tan firme como para poder fraccionarlo. No espere a que se endurezcan como piedra.

13. Utilice una regla y un cuchillo filoso de pelar para marcar las líneas divisorias de los panes con suavidad, sin llegar a la bandeja. Una vez que los panes se vean parejos y uniformes, corte hasta abajo a lo largo y a lo ancho, hasta la superficie de la bandeja. Sosteniendo los extremos del papel manteca, levante la capa de jabones en pan y retírela de la bandeja. Con cuidado, quite el papel de los jabones y luego rebane una fina lámina de cada una de las caras del jabón para quitar las cenizas blancas del carbonato de sodio (ver el asterisco a continuación de la receta del "Jabón esencial" en el Capítulo 9). Asimismo, empareje los bordes.

14. Coloque los panes de jabón uno al lado del otro sobre una bolsa de papel madera o sobre un individual de ratán o mimbre. No utilice bolsas impresas porque los panes de jabón son aún alcalinos y absorberán la tinta. Coloque los jabones en un lugar seco y bien ventilado, y no los exponga a temperaturas extremas.

15. Deje estacionar los jabones de cuatro a seis semanas, girándolos una vez para exponer los otros lados. Éste es un período importante porque los jabones se endurecen y suavizan. Envuélvalos como desee, preferentemente con un material poroso.

RECETAS PARA MEZCLAR Y COMBINAR

Utilizando como base cualquiera de las ocho recetas básicas para elaborar jabón citadas en el Capítulo 10, se pueden crear variaciones por medio de la incorporación de uno o más de los tantos nutrientes (ver Capítulo 6 para obtener más detalles acerca de los nutrientes). Algunos nutrientes son Agregados al final del proceso de elaboración del jabón, pero otros, como por ejemplo los aceites vitamínicos, son Agregados al principio. Para aquellos que se incorporan inmediatamente antes que los aceites esenciales puros, asegúrese de que el jabón se haya saponificado antes de proceder con estos toques finales.

Nótese que al agregar estos ricos nutrientes al final del proceso de elaboración del jabón se obtendrá un jabón supergraso. El jabón supergraso es suave y humectante (¡mi preferido!), pero es probable que se mantenga en buen estado por menos tiempo. Si prueba con otras fórmulas, siempre siga con cuidado las instrucciones básicas del proceso de elaboración del jabón.

Las siguientes sugerencias pueden ser el disparador de otras ideas que abrirán el espectro de posibilidades. Desarrolle combinaciones de aceites y nutrientes de acuerdo con las necesidades específicas relativas al cuidado de la piel o sin ninguna razón aparente. Sólo asegúrese de divertirse jugando con estas combinaciones.

JABÓN A BASE DE AVENA Y MIEL

Agregados:

- de ½ a 1 taza (de 118 a 237 ml) de avena bien triturada
- 4 cucharadas (59 ml) de miel, entibiada
- 45 g (aproximadamente 15 cucharaditas) de aceite esencial (ver Capítulo 4), opcional

Antes de comenzar, lea acerca de la incorporación de la avena y de la miel en el capítulo 6.

Utilice la receta básica para la elaboración del jabón que prefiera. Mezcle la avena finamente triturada con la mezcla de jabón saponificado, revolviendo bien para evitar la formación de grumos. Incorpore la miel entibiada dentro de la mezcla y finalmente agregue el aceite esencial puro si lo desea.

JABÓN DE CALÉNDULA

Agregados:

- ½ taza (118 ml) de flores de caléndula bien trituradas
- 4 cucharadas (59 ml) de aceite de caléndula
- 45 g (aproximadamente 15 cucharaditas) de aceite esencial (ver Capítulo 4), si así lo desea.

Comience a preparar la receta básica para la elaboración del jabón que prefiera. Una vez que el jabón se haya saponificado, incorpore las flores de caléndula bien trituradas; con suavidad mezcle bien junto con el aceite de caléndula. Finalmente, agregue el aceite esencial, si así lo desea. Reemplace hasta 500 g de los aceites esenciales que utiliza en la elaboración del jabón por el aceite de caléndula para obtener un beneficio mayor.

JABÓN A BASE DE UNA MEZCLA DE FRUTAS SECAS

Agregados:

- 5 cucharaditas (25 ml) de aceite de almendra amarga
- 10 cucharaditas (50 ml) de aceite de limón
- ½ taza (118 ml) de almendras bien trituradas
- 2 cucharadas (30 ml) de aceite de almendra dulce
- 2 cucharadas (30 ml) de aceite de semilla de kukui

En un recipiente pequeño mezcle el aceite de almendra amarga y el aceite de limón. Cubra estos aceites esenciales y colóquelos aparte.

Prepare la receta básica para la elaboración del jabón que prefiera. Una vez que el jabón se haya saponificado, agregue las almendras finamente trituradas e incorpórelas bien a la mezcla. Con suavidad, agregue y mezcle el aceite de almendra dulce y el aceite de semilla de kukui. Finalmente agregue la mezcla de aceite esencial.

JABÓN DEL SUDOESTE

Agregados:

- 5 cucharaditas (25 ml) de aceite de enebrina
- 4 cucharaditas (20 ml) de aceite de tomillo rojo
- 4 cucharaditas (20 ml) de aceite de lavanda
- 2 cucharaditas (10 ml) de aceite de romero
- ½ taza (118 ml) de harina de maíz
- 4 cucharadas (59 ml) de aceite de jojoba

En un recipiente pequeño, mezcle el aceite de enebrina, el aceite de tomillo rojo, el de lavanda y el aceite de romero. Cubra estos aceites esenciales y colóquelos aparte.

Prepare la receta para la elaboración de jabón que prefiera. Inmediatamente antes de verter el jabón saponificado en las matrices o moldes, agregue la harina de maíz a la mezcla de jabón y mezcle bien. Luego agregue cuatro cucharadas del aceite de jojoba y mezcle bien. Agregue la mezcla del aceite esencial puro en forma inmediata.

JABÓN A BASE DE BORRAJA

Agregados:

- 2 cucharadas (30 ml) de aceite de borraja
- 2 cucharadas (30 ml) de aceite de semilla de kukui
- 45 g (aproximadamente 15 cucharaditas) de aceite esencial puro (Ver Capítulo 4), opcional

Prepare la receta básica para la elaboración de jabón que prefiera. Inmediatamente antes de verter el jabón saponificado en la matriz o molde, agregue y mezcle bien el aceite de borraja y el de semilla de kukui (se puede sustituir el aceite de borraja por aceite de hierba del asno). Agregue el aceite esencial puro si así lo desea. Reemplace hasta 450 g de los aceites que utiliza en la elaboración del jabón por el aceite de borraja para obtener mayores beneficios.

HISTORIA DE UN FABRICANTE DE JABÓN

Catherine Failor / Copra Soaps

Catherine Failor dice: "La idea para la elaboración de la línea de jabones que tengo en la actualidad surgió como una epifanía. Reconozco que esto puede sonar anticuado pero en realidad me encontraba caminando por una de las habitaciones de mi casa, sin pensar en los jabones -ni siquiera había hecho ninguno en un par de años- cuando en un brillante destello de color, tuve una visión del diseño de mis jabones. Con esta visión surgió la idea de comercializar estos jabones. No fue un pensamiento o una decisión consciente. Solamente ocurrió. Por lo tanto, nunca tuve que agonizar o preocuparme por el éxito o fracaso de mi negocio eventual, porque siempre lo consideré como algo que debía ser."

Luego de un año de "prueba y error por momentos penoso", Catherine perfeccionó el método para imprimir el diseño en los jabones ciento por ciento vegetales. Ella misma creó gran parte del equipo de fraccionamiento utilizando una prensa neumática que empuja la plancha gruesa de jabón a través de cortantes de filos diferentes.

Los jabones Copra son sorprendentes: cada uno de ellos se asemeja a una pieza de arte moderno. Algunos son rayados, otros tramados, con estrellas, círculos, triángulos y trapezoides. Los colores, creados con colorantes sintéticos, son brillantes y contrastantes: rojo y blanco sobre fondo negro; color jade sobre púrpura; amarillo sobre fondo turquesa; los colores del arco iris en rayas alternadas.

Durante dos años y medio, Catherine trabajó en su sótano, pero los jabones Copra crecieron con rapidez y en la actualidad posee una fábrica de 3.500 pies cuadrados de superficie en donde trabajan junto con ella de cuatro a seis personas, según la temporada. El jabón se mezcla en recipientes de acero inoxidable de 400 litros de capacidad, en cantidades de 315 a 360 kg por vez. Catherine estudió en libros de principios de siglo y encontró un diseño para las matrices de los jabones que pueden contener alrededor 158 kg de jabón.

El lugar de elaboración de los jabones Copra es el sueño de todo fabricante de jabón: tan sólo a una milla del puerto de Portland, en Oregon, en donde los barcos de Malasia descargan los aceites tropicales. "Es una situación ideal", dice Catherine, "Llevo los barriles vacíos para que los carguen y tan sólo debo transportarlos de vuelta a la fábrica".
Catherine Failor nos hace ver que debemos hacer otras cosas diferentes de las que ya hemos visto para que nuestros jabones reflejen una parte de nosotros.

JABÓN VITAMINADO

Agregados:

- 2 cucharadas (30 ml) de aceite de germen de trigo
- 2 cucharadas (30 ml) de aceite de semilla de zanahoria
- 2 cucharadas (30 ml) de aceite de raíz de zanahoria
- 2 cucharadas (30 ml) de aceite de vitamina E
- 4 cucharadas (59 ml) de aceite de palta
- de 45 a 50 g (aproximadamente de 15 a 18 cucharaditas) de aceite esencial puro (ver Capítulo 4), opcional

Prepare la receta básica para la elaboración de jabón que prefiera. Reemplace ½ taza de aceite de oliva por las dos cucharadas de aceite de germen de trigo, el aceite de semilla de zanahoria, el de raíz de zanahoria y el aceite de vitamina E. (Se puede aumentar la cantidad de uno de estos aceites para sustituir alguno del que no disponga en ese momento). Estos aceites vitamínicos deben agregarse, junto con los otros aceites, al comienzo del proceso de elaboración del jabón.

Una vez que el jabón se haya saponificado, agregue el aceite de palta y el aceite esencial puro, si así lo desea, mezclando bien antes de verter el jabón en las matrices.

CAPÍTULO 10

Forma de diagnosticar inconvenientes

En los comienzos de mi actividad, otro fabricante de jabón me alentó para que tomara nota de cada una de las elaboraciones de jabón: las cantidades exactas de ingredientes utilizadas junto con una descripción detallada de cada paso del proceso. Usted puede beneficiarse de mis tantos lotes de jabón fallidos y así evitar la mayoría de los siguientes errores, pero si toma nota, le ayudará a no cometer el mismo error dos veces.

Casi todos los inconvenientes que aquí se detallan están relacionados con la imprecisión. Usted puede evitar la mayoría de ellos siguiendo las instrucciones con cuidado y verificando la exactitud de las balanzas y los termómetros con regularidad. Recuerde que, aunque resulten tan frustrantes como el fracaso casual, la mayoría de los errores son pequeños y el jabón nos perdona. El menor de los errores es una lección de por vida.

Compruebe el pH de cualquier jabón sospechoso. Lea las instrucciones del Capítulo 10 antes de tomar alguna medida.

FORMA DE DIAGNOSTICAR INCONVENIENTES EN LA CUBA DE ELABORACIÓN DEL JABÓN

Signo del inconveniente	Razones	Procedimiento a seguir
La mezcla de la cuba no deja el rastro	◆ No contiene demasiada lejía ◆ Contiene demasiada cantidad de agua ◆ Error de temperaturas ◆ Se ha revuelto con demasiada lentitud	Verifique las medidas para asegurarse de que se hayan utilizado las cantidades correctas; asegúrese que revolver con energía y en forma consistente. Si todo parece estar bien, continúe revolviendo durante todo el tiempo que pueda, pero nunca por más de cuatro horas. Si la mezcla se separa en una capa aceitosa y en otra acuosa, aun luego de unas horas, deseche el lote. Si en su momento comienza a espesarse en forma considerable, siga adelante y vierta el lote casi saponificado y deje que el jabón se estacione durante un período razonable. Desee lo mejor, pero esté preparado para obtener un jabón inutilizable. Algunas fórmulas para elaborar jabón ciento por ciento vegetal supergraso con un alto contenido de aceites no saturados, con no más del 20 por ciento de aceite de coco, con un requerimiento mínimo de hidróxido de sodio y sin aceite de palma o sebo, pueden realizarse en un período de más de diez a dieciséis horas, utilizando un método improvisado para revolver. Pero las recetas

FORMA DE DIAGNOSTICAR INCONVENIENTES EN LA CUBA DE ELABORACIÓN DEL JABÓN

Signo del inconveniente	Razones	Procedimiento a seguir
La mezcla de la cuba no deja el rastro *(continuación)*		de este libro están pensadas para poder llegar al punto de saponificación en un período de siete a cuarenta minutos. Horas y horas de proceso estarían demostrando que existe un problema.
La mezcla presenta grumos (pequeñas pelotillas que se forman cerca del fondo de la cuba de elaboración)	◆ Los aceites, la lejía, o ambos han sido vertidos a una temperatura demasiado alta ◆ Se ha revuelto en forma irregular ◆ Se ha revuelto en forma muy lenta	Vierta la mezcla de jabón una vez que se haya saponificado pero si los últimos jabones contienen estos grumos (lo que probablemente ocurrirá), no los utilice.
La mezcla se encuentra un tanto granulosa	◆ Se ha elaborado el jabón a temperaturas demasiado altas o demasiado bajas ◆ Se ha revuelto sin energía ni constancia	Éste es sólo un problema estético.
La mezcla de la cuba de elaboración ha comenzado a espesarse en forma prematura	◆ Las temperaturas utilizadas eran demasiado altas o demasiado bajas ◆ Las grasas y/o los aceites están produciendo una reacción a la fragancia artificial ◆ Las grasas y/o los aceites están produciendo una reacción a determinados aceites esenciales puros, como por ejemplo el de clavo de olor o el de casia ◆ La fórmula contiene un alto porcentaje de aceite de carozo de oliva o sebo	Con cuidado, pero en forma rápida, vierta la mezcla del jabón en los moldes utilizando un espátula para retirar el jabón más firme. Haga lo mejor que pueda para nivelar el jabón en la matriz como si esparciera la mezcla de una torta hacia los bordes del molde. Proceda normalmente.
La mezcla de la cuba de pronto comienza a vetearse	◆ Se ha utilizado alcohol o glicoldipropileno en la elaboración de los aceites de las fragancias artificiales para perfumar el jabón ◆ Las temperaturas del proceso de elaboración del jabón han sido demasiado bajas	Si, por el contrario, la mezcla parece encontrarse bien y se ha saponificado, vierta con rapidez la mezcla del jabón en la matriz. Éste es sólo un problema estético que hasta podría considerarse atractivo en el producto final.

FORMA DE DIAGNOSTICAR SIGNOS DE INCONVENIENTES EN EL PRODUCTO FINAL

Signo del inconveniente	Razones	Procedimiento a seguir
Los jabones presentan vetas blancas (en forma de remolino; en trozos blancos no sólidos)	◆ Una emulsión despareja provocada por no haber revuelto en forma uniforme ◆ Las temperaturas de los aceites y de la lejía son demasiado frías ◆ Se han utilizado aceites con fragancias artificiales para perfumar el jabón ◆ Se ha revuelto durante mucho tiempo luego de haber agregado la fragancia	Asegúrese de que estas vetas no sean trozos grandes de lejía alcalina y lustrosa. Los remolinos formados por la fragancia no afectan la pureza del jabón
Jabón blando y esponjoso	◆ No se ha agregado la cantidad suficiente de hidróxido de sodio	Puede intentar dejarlo estacionar durante un período mayor (unas cuantas semanas más), pero es poco probable que se endurezcan lo suficiente como para que formen un pan de jabón
Jabón duro y quebradizo	◆ Se ha agregado demasiada cantidad de hidróxido de sodio	No utilice este jabón. Probablemente resulte bastante alcalino y contenga hidróxido de sodio en exceso
Se observan burbujas de aire	◆ Se ha revuelto durante demasiado tiempo (el jabón debió haberse vertido en las matrices con anterioridad) ◆ Se ha revuelto con demasiada velocidad, más bien batiendo	Asegúrese de que estas burbujas no se encuentren llenas de lejía. Si sólo están llenas de aire, el jabón no presenta problema alguno
Separación: una capa grasosa (de aceites no saponificados) sobre otra capa de jabón duro (jabón duro con un exceso de lejía)	◆ Se ha revuelto en forma insuficiente Indebida proporción de grasas y/o aceites en el hidróxido de sodio (demasiado hidróxido de sodio) ◆ La temperatura ha descendido demasiado abruptamente en los moldes o matrices ◆ Se ha vertido el jabón en las matrices demasiado rápidamente	No utilice este jabón. Partes de estos panes de jabón serán demasiado alcalinos. Considérelos peligrosos para el uso personal

FORMA DE DIAGNOSTICAR SIGNOS DE INCONVENIENTES EN EL PRODUCTO FINAL		
Signo del inconveniente	**Razones**	**Procedimiento a seguir**
Jabón duro que presenta zonas blancas y lustrosas (no en forma de vetas sino trozos de lejía sólida y resbaladiza)	◆ Se ha utilizado demasiada cantidad de hidróxido de sodio ◆ Se ha revuelto en forma demasiado lenta o inconsistente	No utilice este jabón porque los trozos de lejía quemarán
Se observa una cantidad excesiva de polvo blanco sobre la superficie de los jabones o se obtuvo una plancha de jabón que se desarma	◆ Demasiada cantidad de hidróxido de sodio ◆ Se ha utilizado agua dura para disolver el hidróxido de sodio	No utilice este jabón. Son altamente cáusticos
Jabón moteado de una apariencia manchada en forma irregular	◆ Se ha revuelto en forma despareja ◆ Se han expuesto las grasas y los aceites a cambios radicales de temperatura durante la refinación o al envolverlos	Proceda con el proceso. Éste es sólo un problema estético.
Al fraccionar el jabón de unos días, el cuchillo se topa con cierta resistencia en determinados puntos. Luego de una minuciosa inspección, se detecta que el jabón contiene blancos trozos lustrosos y duros de lejía sólida alrededor de zonas de jabón blando común y se encuentran húmedos por debajo, con lejía líquida y	◆ Se ha vertido el jabón en la matriz antes de que se completara el proceso de saponificación ◆ El proceso por el cual se revuelve la mezcla fue llevado a cabo en forma inconsistente y lenta	No utilice este jabón porque resulta cáustico

FORMA DE DIAGNOSTICAR SIGNOS DE INCONVENIENTES EN EL PRODUCTO FINAL		
Signo del inconveniente	**Razones**	**Procedimiento a seguir**
resbalosa que empapa el papel manteca que recubre la matriz *(continuación)*		
El jabón presenta grietas	◆ Se ha utilizado demasiada cantidad de hidróxido de sodio ◆ Se ha revuelto demasiado, más bien se ha batido ◆ El jabón se ha espesado con demasiada rapidez	Si parecen duros, demasiada cantidad de hidróxido de sodio los hace inutilizables. Si las grietas se deben a la temperatura, el problema es solamente estético
Al jabón le lleva más de tres días para endurecerse en forma considerable (a continuación del período de aislamiento estando tapado)	◆ No se ha agregado la cantidad suficiente de hidróxido de sodio ◆ Los aceites cítricos están retrasando un tanto el proceso ◆ Se ha expuesto el jabón en proceso de estacionamiento a temperaturas extremas y/o a corrientes de aire ◆ Se ha agregado un alto porcentaje de aceite de ricino con una cantidad insuficiente de hidróxido de sodio	Deje que el jabón se estacione durante unas pocas semanas más. No los utilice si nunca se endurecen lo suficiente
Se observan burbujas de aire llenas de lejía líquida o en polvo	◆ No se ha revuelto lo suficiente ◆ Se ha agregado demasiada cantidad de hidróxido de sodio ◆ Se ha revuelto con demasiada lentitud	Este no es un jabón seguro porque las burbujas de lejía producen quemaduras

ANTE LA DUDA, VERIFICAR EL PH

Si no se encuentra seguro de su capacidad para detectar el diagnóstico adecuado, compre un equipo de verificación de pH y compruebe usted mismo el pH de los jabones. Espere a que los jabones se hayan estacionado, alrededor de tres a seis semanas luego de haberlos fraccionado y recortado. Si le preocupa una zona determinada del jabón, realice la comprobación directamente en esa área.

Aubrey Hampton, en su libro *Natural Organic Hair and Skin Care* (*El cuidado natural y orgánico del cabello y la piel*), hace referencia al pH y comenta que existe un amplio espectro de valores que pueden considerarse como aceptables para los productos del cuidado de la piel. Explica que la piel puede ajustarse a un pH de 8,0 a 10,5 con más facilidad que a los productos químicos que se agregan para disminuir el pH. Se ha abusado del término "pH balanceado", como tantas otras artimañas comerciales; una lectura de pH neutro (7,0) no revela lo suficiente acerca del producto.

ADVERTENCIA

Nunca vierta jabón crudo por el desagüe.

Un pH que varíe de 5,5 a 10,5 parece ser aceptable para los productos para el cabello y la piel; tenga en cuenta que las lecturas de pH pueden variar de verificación en verificación. Personalmente apunto a un pH de 5,5 a 8,0. Intente obtener una variedad del pH y no un valor determinado. Si tiene alguna duda acerca del jabón, no lo utilice.

Aunque las verificaciones de pH sirven para un determinado fin, dichas verificaciones poseen sus limitaciones. He notado que aun cuando un jabón sea neutro, la solución jabonosa (es decir, un poco de jabón disuelto en agua) puede resultar un tanto alcalina. Verifique los jabones pero intente obtener un pH que se encuentre en la gama de los pH seguros y no busque un valor específico.

CAPÍTULO 11
Métodos para fraccionar y recortar

Existen varios métodos diferentes que pueden utilizarse para fraccionar una plancha de jabón en panes, que dependen del tipo de molde utilizado y de la variedad del jabón. A algunos fabricantes de jabones les agrada verter el jabón en una masa rectangular con forma de torre y luego utilizar una especie de alambre para rebanar el bloque en capas y luego en panes. Otros, como yo, preferimos verter el jabón en un rectángulo de una sola capa. Una vez que el jabón se encuentra lo suficientemente firme, esta masa sólo debe cortarse a lo largo y a lo ancho, como si fueran masitas de chocolate. En mi opinión, este método permite que la persona que elabore el jabón tenga un mayor control y precisión porque requiere de menos destreza que para fraccionar la torre en tres dimensiones. Supongo que cuantos menos cortes se deban hacer, más posibilidades se tendrán de obtener panes de jabón más parejos y uniformes. Se tiene un mayor control sobre el elemento cortante que sobre un alambre o una tanza de pescar.

EN QUÉ MOMENTO DEBE FRACCIONARSE EL JABÓN

Aunque cada lote de jabón es único, la mayoría de las recetas de este libro producirán un jabón que se endurecerá lo suficiente como para poder fraccionarlo de uno a siete días. Una vez que una presión moderadamente firme (utilizando las yemas de los dedos) se encuentre con cierta resistencia, el jabón estará listo para ser fraccionado. Para un jabón vegetal elaborado con un alto porcentaje de aceite de coco y de palma, esto ocurre, por lo general, después de las veinticuatro horas del período de aislamiento o en unos pocos días.

Por dentro, el jabón estará aún blando, pero los panes de jabón se endurecerán por completo a medida que se exponga una mayor superficie. Los panes de jabón o de champú que contienen una gran cantidad de aceites cítricos pueden tardar más tiempo en endurecerse. Asimismo, las fórmulas que incluyen un alto porcentaje de aceites no saturados pueden tardar unos cuantos días más.

CÓMO FRACCIONARSE

Primero corte el jabón a lo largo y a lo ancho. Debe marcarse cada lado de la bandeja con marcador indeleble en la medida correcta: cada 7,5 cm en los extremos y cada 6 cm a los lados. Luego, coloque una regla sobre el jabón y una los puntos haciendo un leve corte a lo largo de la regla utilizando un cuchillo de pelar. Una vez que termina de marcar todas las líneas, deben verificarse la precisión de las medidas tomadas y luego utilizar el cuchillo de pelar para cortar por completo el jabón llegando hasta abajo y siguiendo las líneas ya marcadas.

FORMA DE ESTACIONAR EL JABÓN

Luego de fraccionar el jabón en panes, levante todo el bloque de jabón y retírelo de la bandeja sosteniéndolo del papel manteca. Retire el papel manteca de los costados de los panes y alíselo contra la superficie de trabajo. Con suavidad, pele cada jabón cuidando de no ejercer demasiada presión: recuerde que los jabones no se encuentran completamente duros. Ayudándose con un cuchillo de pelar, corte alrededor de 1 mm de la parte superior del jabón para retirar esa fina capa de cenizas de carbonato de sodio que se forma sobre la superficie del bloque de jabón. Éste es uno de mis pasos preferidos, porque a medida que retiro la capa áspera se va viendo el jabón parejo de abajo.

No obstante, aún no se ha finalizado con los jabones. Apilar los jabones para completar su tiempo de estacionamiento es tan importante como todos los demás pasos del proceso. Los panes de jabón resultan un tanto alcalinos en este punto del proceso y deben manipularse con cuidado para evitar que se descoloreen o se tornen rancios. Personalmente no apilo los jabones como si fuesen ladrillos en la forma que otros manuales sugieren porque lo ideal es que se expongan al aire en su totalidad, sin ponerse en contacto con otros jabones.

Algunas veces coloco los jabones sobre individuales de ratán o mimbre. Las bolsas de papel madera de supermercado son maravillosas para poner a secarlos en una capa. No utilice el lado impreso porque los jabones alcalinos absorberán la tinta. Cada bolsa puede contener hasta 20 panes de jabón de 110g y el papel seco y poroso permite que respire hasta la base del jabón. Coloque estas bolsas en un ambiente algo fresco y libre de polvo, sobre una mesa o sobre estantes. (Los cajones y los armarios no permiten la suficiente circulación de aire que proporciona la máxima protección contra la ranciedad). Espere tres o cuatro semanas antes de envolver los jabones.

MOLDES DECORADOS

Este libro trata acerca de los jabones en pan, pero le sugiero que forme bolitas de jabón de cuando en cuando para divertirse, en especial si tiene niños que desean intentar elaborar jabón. Luego de transcurrida una semana de estacionamiento dentro del molde, el jabón estará lo suficientemente firme como para poder darle una forma a mano. En su defecto, espere unos cuantos días más. Sin prestarle demasiada atención a la simetría, fraccione el lote en 40 panes, retire la fina capa de cenizas de carbonato de sodio. Luego, con guantes flexibles, déle a cada jabón la forma de una esfera. Deje estacionar durante unas semanas de la forma ya descripta para los panes de jabón.

Los jabones ciento por ciento vegetales no resultan particularmente dóciles para darles formas decorativas. Aunque eventualmente se endurecen bien, no lo suficiente en el transcurso de un día como lo hacen los jabones para modelar. Las combinaciones de sebo y productos vegetales se endurecen en forma rápida y se desprenden del molde con los bordes y los detalles intactos. Podría moldearse un jabón ciento por ciento de aceite de palma, o hasta un jabón elaborado con otros aceites vegetales, pero principalmente con aceites de palma y coco. Pero las propiedades del jabón relacionadas con el cuidado de la piel serán inferiores a las de una mezcla creada con minuciosidad.

Más allá de los fundamentos

PARTE

CAPÍTULO 12
Ideas creativas para envolver jabones

Hay momentos en los que detesto envolver los jabones porque he notado que cuanto más lindo es el envoltorio, es menos probable que la gente los desenvuelva y use los jabones. Me han comentado que muchos de mis jabones permanecen en las repisas y estantes de los baños durante meses porque "son demasiado lindos para abrirlos". No hace mucho tiempo, una amiga notó que los jabones que yo le había regalado hacía un año que estaban sobre la mesa ratona de la sala, justo en frente de nosotras, mientras charlábamos.

A medida que considere las siguientes opciones, piense en qué pequeñas cosas tiene en su casa que pueda reciclar para envolver el jabón. Algunas de las ideas más extravagantes por lo general resultan ser las preferidas.

SUGERENCIAS PARA EL ENVOLTORIO

Envuelva los jabones en rectángulos de tela ligera, como si fuera papel para envolver obsequios. Sosteniendo los extremos de la base en su lugar, anude con un moño cuatro o cinco hebras de rafia en un atado a lo largo del jabón. Haga otro atado de cuatro o cinco hebras de rafia a lo ancho de la misma manera, con un fuerte nudo para sostener las lazadas en su lugar. Arregle las hebras y las lazadas en forma casual y adhiera con cola flores desecadas, como por ejemplo gonforenas y pimpollos de rosas al centro del jabón (figura 1, A-C).

Figura 1.

Coloque una tira de papel decorado alrededor del jabón, ubicándolo en el centro, envuelva la tira de papel alrededor del jabón y encole los extremos del papel dejando expuestos los extremos del jabón.

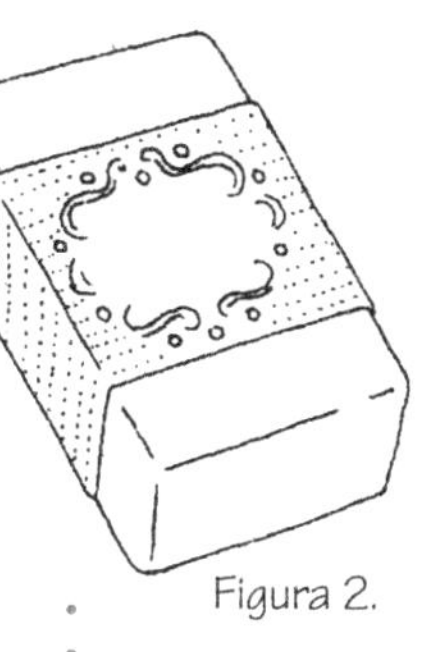
Figura 2.

Utilice una etiqueta impresa o un diseño dibujado a mano por usted mismo. Puede dibujar una imagen que refleje alguna característica especial del jabón (figura 2).

Estampe en un rectángulo de muselina blanca lisa un diseño que le agrade utilizando pintura para tela. Luego centre el jabón en la tela, del lado del revés, y envuélvalo como si fuera un paquete. Asegúrese de que el estampado se encuentre en la parte superior del jabón antes de adherir los extremos inferiores con cola para tela (figura 2).

Cosa una bolsita de tela con pasacinta, utilizando un trozo de encaje de trama cerrada u otra tela de 10 cm por 25,4cm. Corte un cordón de 25,4 cm a 30,5 cm de largo para confeccionar el pasacinta. Doble el trozo de encaje por la mitad con el derecho hacia adentro.

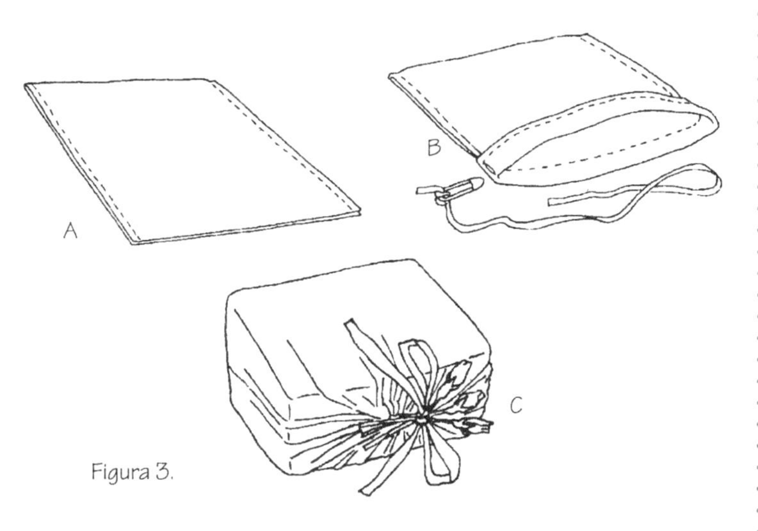

Figura 3.

Cosa los lados. Doble el borde superior hacia adentro, dejando un borde para costura de 2,5 cm. Cosa a 2 cm de distancia para sostener el pasacinta dejando una abertura de 1,25 cm. Con la ayuda de un alfiler de gancho, pase el cordón por el pasacinta y átelo con un moño o lazo. Dé vuelta la bolsita e introduzca el jabón. Agregue algunos pimpollos de rosas desecados u otros tipos de flores secas para darle un toque final (figura 3, A-C).

Consiga una esponja (las esponjas grandes y las vegetales son las más apropiadas) y con cuidado corte una ranura en la esponja con un cuchillo de punta o con unas tijeras bien afiladas, retirando un

Figura 4.

trozo del centro. Introduzca el jabón en la ranura y envuelva la esponja con rafia natural. Para darle un toque especial, introduzca una pequeña botella de aceite de almendra entre los lazos de rafia y asegúrelo bien (figura 4).

Coloque un jabón en una canasta o jabonera de mimbre y envuelva todo con papel celofán, o bien deje expuesto el jabón envolviendo solamente con rafia y adornando con hierbas y flores desecadas o pequeñas piñas de pino (figura 5).

Figura 5.

Envuelva el jabón en un trozo de tela rústica, como por ejemplo de fibra de cáñamo y átelo con rafia, cinta o un cordón trenzado. Introduzca algunas flores o hierbas desecadas (figura 6).

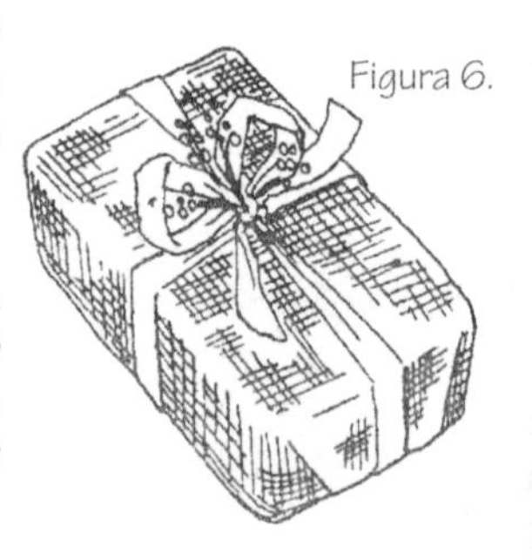

Figura 6.

Introduzca un jabón en un lindo mitón, pliegue el extremo abierto y asegúrelo con un alfiler de gancho bien disimulado. Adhiera una tarjeta preferentemente hecha a mano.

Elabore un obsequio único para bebés introduciendo jabones extra suaves en una hermosa canasta junto con unos buenos retazos de tela rústica, como por ejemplo tela de fibra de cáñamo, arreglados con creatividad. Entrelace rafia, cordón o moños en la canasta e introduzca una imagen de la naturaleza impresa en papel reciclado. Decore con colores suaves y naturales, evitando los rosas y celestes (figura 7).

Sirva los jabones como si fuesen masitas de chocolate colocándolos sobre una fuente con un lindo repasador de cocina de lino. Luego disponga diferentes tipos de jabones sobre el repasador como si fuesen masitas. Cubra los jabones con los extremos del repasador (es decir, con los cuatro triángulos doblados hacia el centro). Agregue una tarjeta previniendo que esos panes sólo deben servirse en el baño y en la ducha.

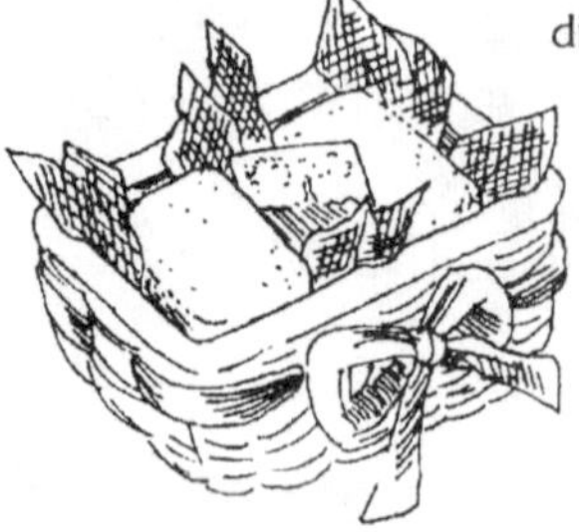

Figura 7.

Llene una cajita de madera con diferentes tipos de jabones, ya sea envueltos o sin envolver. Resultarán un arreglo de buen gusto si alterna los colores naturales. Entrelace rafia por fuera y por dentro de las tablillas de la caja y adhiera algunas hierbas desecadas con cola en caliente (figura 8).

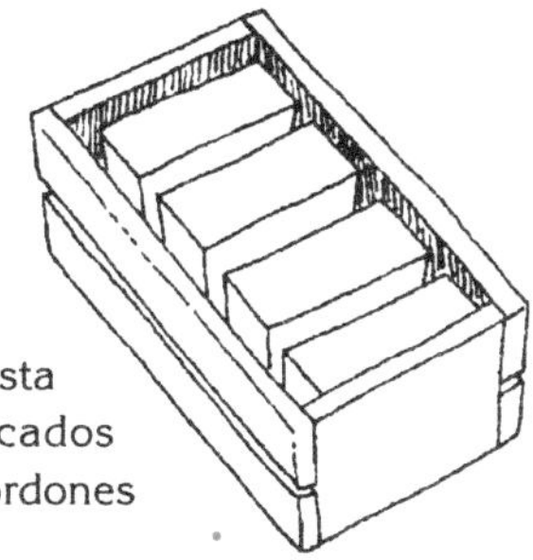

Elabore *souvenirs* envolviendo jabones en trozos de tela o hasta en hermosas servilletas de papel. Pueden adherirse delicados moños o lazos de tela sobre las servilletas o llamativos cordones plateados.

Figura 8.

Utilice papel madera para envolver los jabones como si fuesen paquetes y átelos con rafia de color natural u otro cordón rústico. Utilice cola en caliente para adherir pequeñas piñas de pino, flores y hierbas desecadas.

Forme un acordeón plegando un trozo de papel de colores firmes y de buena calidad. Luego coloque el jabón en el centro del papel del lado del revés. Envuélvalo de la misma manera que un paquete pequeño, plegando los lados por sobre el jabón primero y luego doblando los extremos y sujetándolos con cola o cinta adhesiva. Los pliegues más angostos los mantendrán en su lugar. Asimismo, ajustando bien el papel contra el jabón, los pliegues se mantendrán en su lugar con mayor facilidad. Utilice cola para pegar tela para asegurar los bordes inferiores y decorar con hierbas desecadas utilizando la pistola dosificadora (figura 9, A-C).

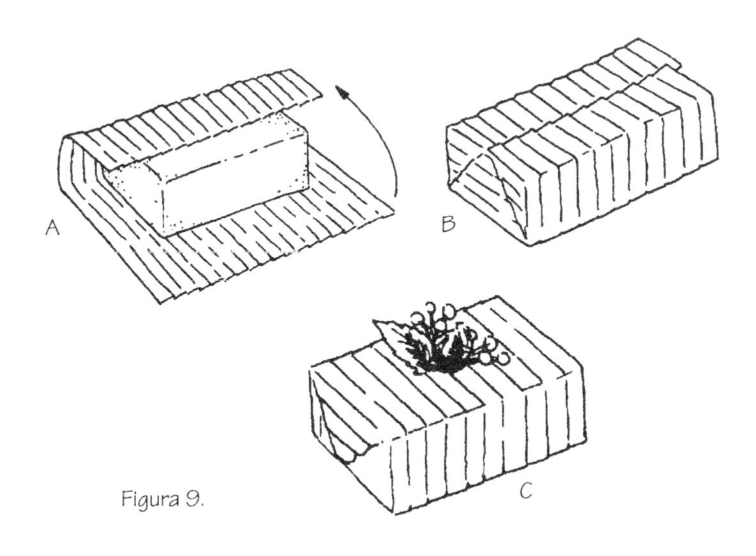

Figura 9.

- Envuelva el jabón en blondas de papel que no tengan perforaciones grandes. Luego ate el paquete con una cinta. Adhiera pimpollos de rosas u otras flores desecadas sobre la blonda.

Figura 10

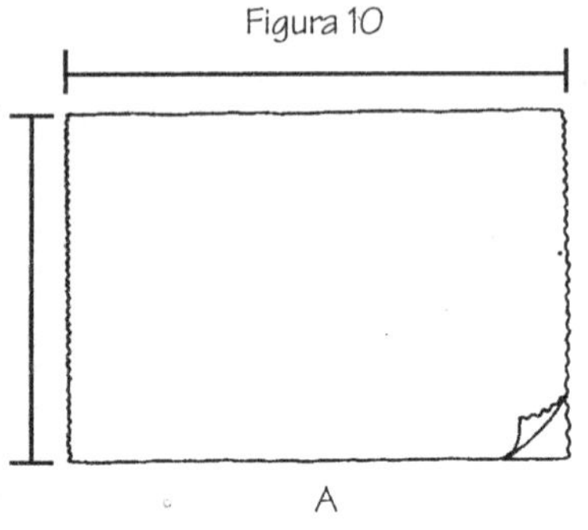

A

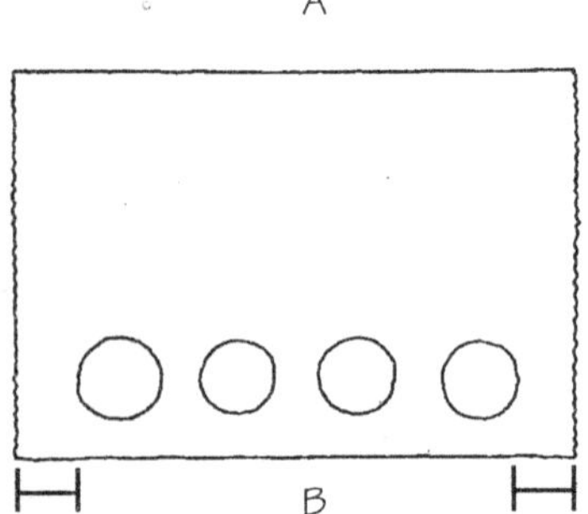

B

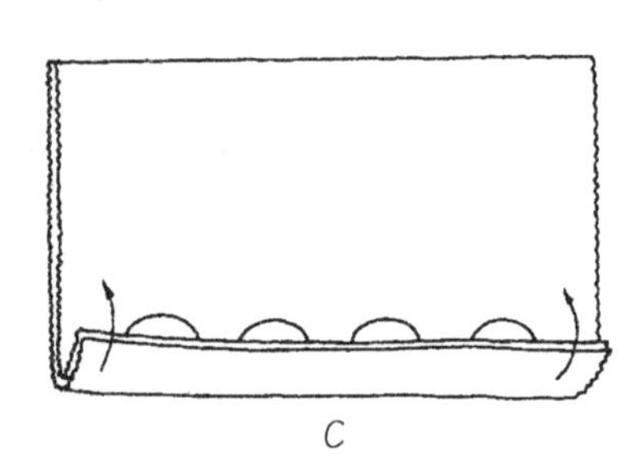

C

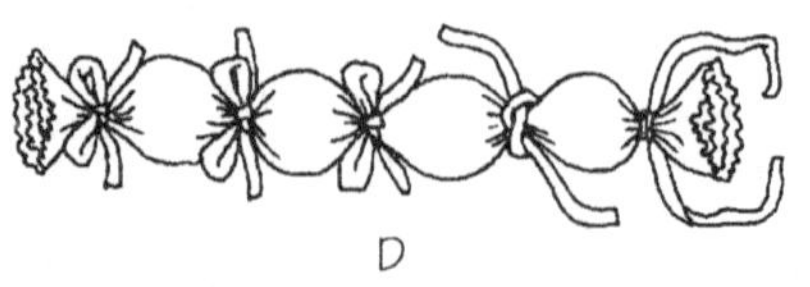

D

Utilice algún papel para envolver no convencional y luego átelo con muchas vueltas de cinta (4 ó 5 en cada dirección). Rice cada uno de los extremos de la cinta con las tijeras. Decore con moños, lazos o globos y agregue una tarjeta a la cinta, sujetándola a través de un orificio.

Utilice papel *washi* en vez de tela para envolver el jabón. El *washi* es un papel japonés costoso, elaborado con finas fibras vegetales. Es un tejido flexible y poroso que recubre suavemente y con facilidad el jabón de diferentes maneras. Envuelva el *washi* alrededor del jabón utilizando las ideas de este capítulo y las que pueda rescatar del libro *Gift Wrapping: Creative Ideas from Japan* (*Envoltorios para obsequios: Ideas creativas del Japón*). Ate algunos de esos diseños con mizuhiki, un cordón japonés de colores, para darle una apariencia festiva.

Confeccione un collar de esferas de jabón colocando dos rectángulos de washi o de tela uno sobre otro con el revés hacia adentro. Recorte los extremos más cortos con tijeras de picos (figura 10A). Coloque los jabones en forma pareja a lo largo del borde inferior más largo dejando libre un espacio de 5 cm a los extremos (figura 10B). Pliegue ese borde por sobre los jabones y continúe enrollando el papel o la tela con lentitud (figura 10C). Ate los extremos con un hilo y luego entre jabón y jabón. Finalmente haga un moño con rafia, cinta, mizuhiki, encaje o cordón trenzado sobre el hilo para disimularlo (figura 10D).

HISTORIA DE UN FABRICANTE DE JABÓN

Karen Voigts / Maple Hill Farm

A principios de los 80's, Karen y Tom Voigts se mudaron de la ciudad a una pequeña granja en Michigan que tenía un granero desocupado y listo para renovar. Karen y Tom no tenían ninguna experiencia en cuanto a la cría de animales. Su hijo era alérgico a la leche de vaca, por lo que decidieron tener una cabra. "Las cabras parecían ser unos animales tan amigables y hasta podíamos ver lo bien que nuestro hijo toleraba la leche de cabra", recuerda Karen. "Nos dispusimos a criar una cabra, pero pronto descubrimos que las cabras son demasiado sociables como para vivir solas por lo tanto tuvimos que conseguir otra."

Para la primavera, contando con cabritos recién nacidos, Karen y Tom tenían más leche de la que podían consumir. Karen intentó aprovecharla toda haciendo helado, flan, queso y postres con leche. Entonces un día vio en una revista una receta para elaborar jabón a base de leche de cabra. "¡Qué bueno!", dijo. "¡Otra forma de usar la leche de cabra!"

El Aunt Karen's *Goat Milk Soap* (*Jabón de leche de cabra de la Tía Karen*) está elaborado en base a lardo, sebo, aceite de coco y de oliva y aceites esenciales puros. Karen también elabora su *Goat Milk Shaving Soap* (Jabón para afeitarse de leche de cabra), que se vende para recambiar o como parte de un equipo de productos para afeitarse que consta de una jarra, una brocha y un jabón. Karen buscó durante mucho tiempo un proveedor que le ofreciera grasas y aceites libres de conservantes. No utiliza colorantes artificiales; en cambio, cuando desea darle color a los panes de jabón para las fiestas, le agrega clorofila líquida para darle al jabón un tinte verde.

El jabón es elaborado en la cocina de campo de Karen y Tom con pura leche fresca de cabra. Aunque el negocio de elaboración y venta de jabón se ha expandido de una venta local hasta llegar a una distribución nacional a través de la venta por mayor y por menor por encargo postal, "aún hoy elaboramos nuestro jabón de la misma manera artesanal, ya que entendemos que hay personas que siempre buscan productos de calidad artesanal", dice Karen.

Un furoshiki es un trozo de tela envuelto de manera tal que se forma una manija con el mismo diseño. Sirve para envolver una sola esfera de jabón en washi o en tela.

Método 1 (para una sola esfera de jabón)

1. Extienda el cuadrado de tela con uno de sus ángulos directamente en frente de usted. Coloque el jabón en el centro de la tela.

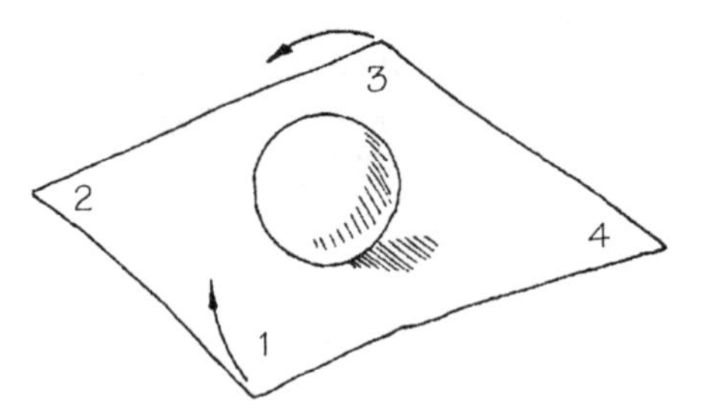

2. Ate los extremos 1 y 3 con un nudo, dejando solamente 1,25 cm de material colgando del nudo para formar el nudo 1-3.

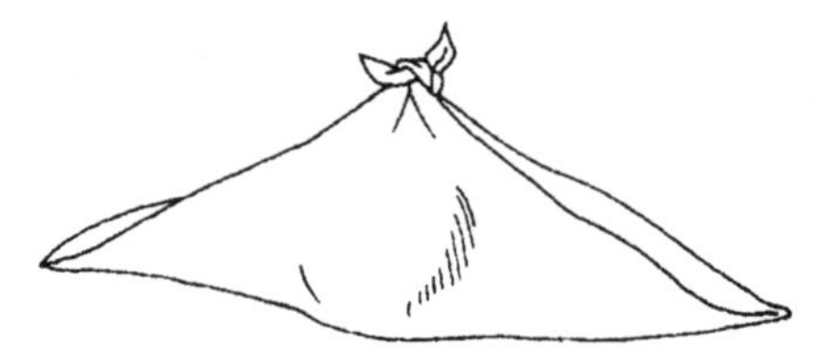

3. Luego cruce el extremo 2 por sobre el extremo 4, sobre la parte superior del jabón.

4. Haga girar la esfera de jabón y ate ceñidamente los extremos sueltos contra la parte superior del jabón, cerrando la parte inferior del nudo 1-3.

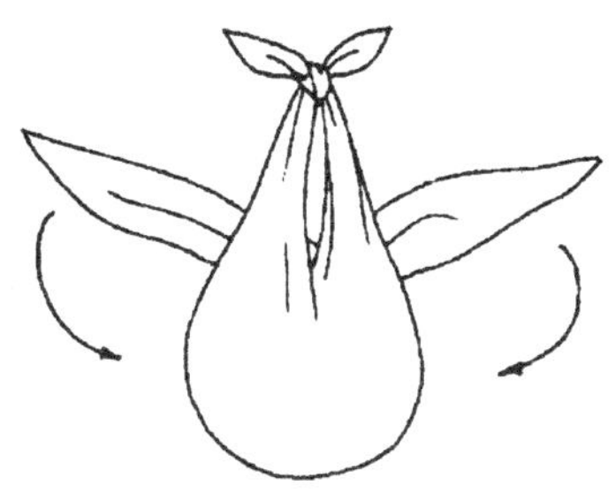

5. Tire del nudo 1-3 a través del nudo 2-4 ajustando la tela alrededor de la esfera de jabón para formar una pequeña manija.

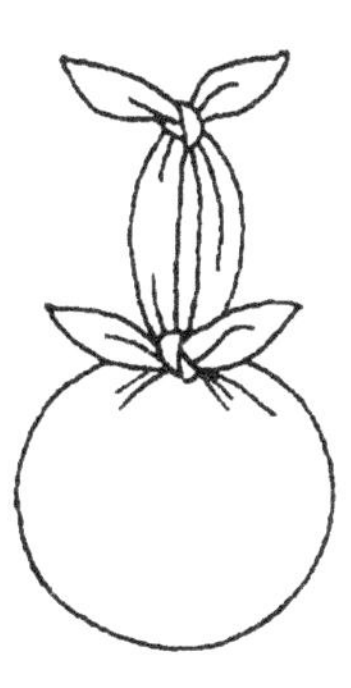

Método 2 (para una sola esfera de jabón)

1. Extienda el cuadrado de tela con uno de sus ángulos hacia usted. Coloque el jabón en el centro de la tela.

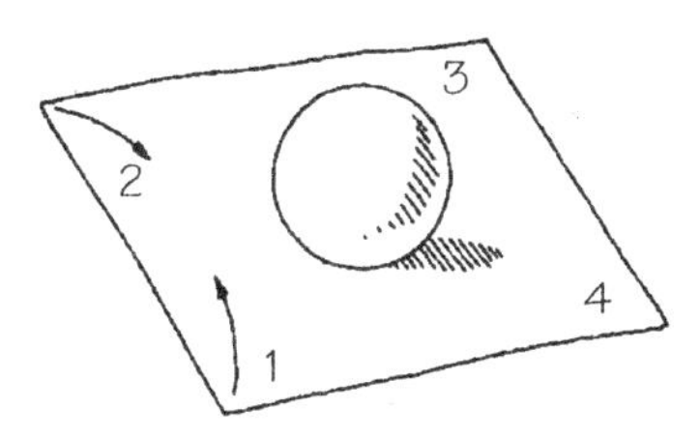

2. Ate los extremos 1 y 2 formando un nudo, dejando sólo 1,25 cm de tela colgando del nudo.

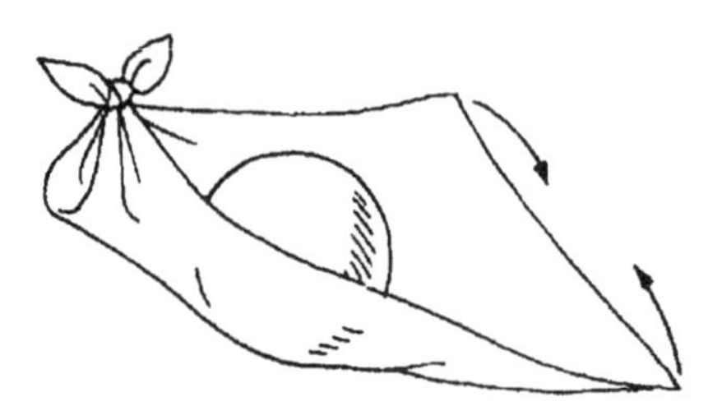

3. Ate los extremos 3 y 4 de la misma forma. Tire del nudo 1-2 por debajo del nudo 3-4 haciendo que la tela se ciña alrededor de la esfera de jabón.

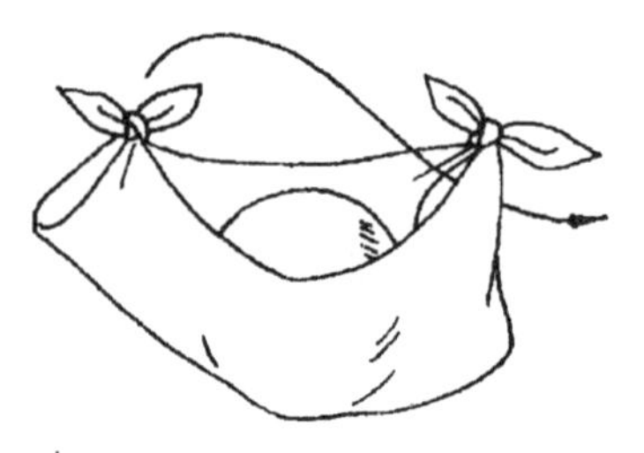

4. La tela debe cubrir el jabón en su totalidad y el lazo anudado de tela debe formar una manija en la parte superior.

Método 3 (para un pan de jabón)

Confeccione un rectángulo de tela para envolver utilizando lino, seda, washi o cualquier otra tela con terminaciones en los bordes (las pañoletas, bandanas o pañuelos de cuello pueden servir).

1. Extienda el trozo de tela con uno de los extremos hacia usted. Coloque el jabón en el tercio de tela más próximo a usted.

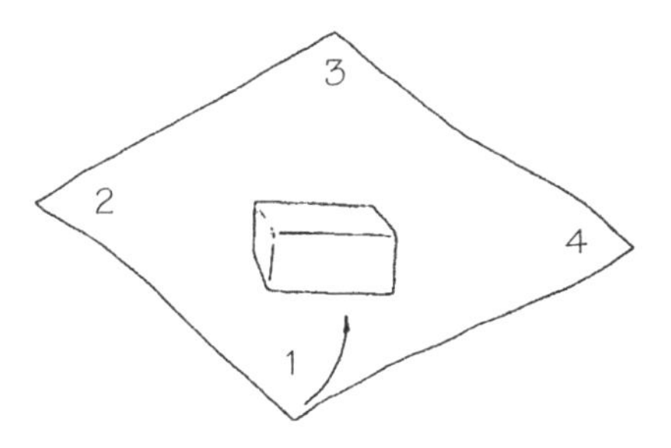

2. Cubra el borde superior del jabón con el extremo 1.

3. Sosteniendo la tela, haga girar el jabón junto con la tela una o dos veces hacia el extremo opuesto de la tela (extremo 3), hasta dejar libre sólo la medida del largo de un jabón y medio.

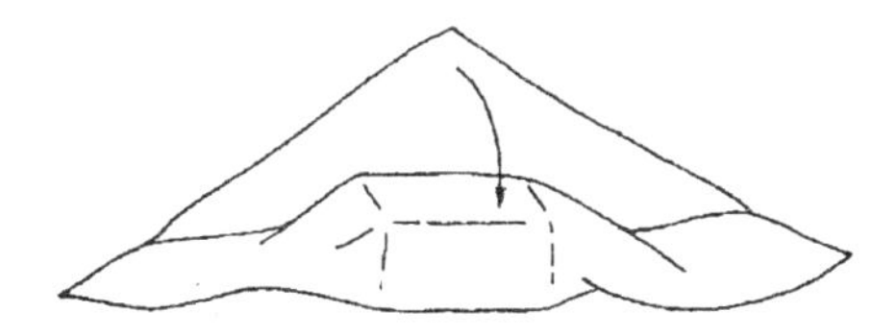

4. Pliegue el extremo 3 hacia usted por sobre el lado del jabón más cercano a usted.

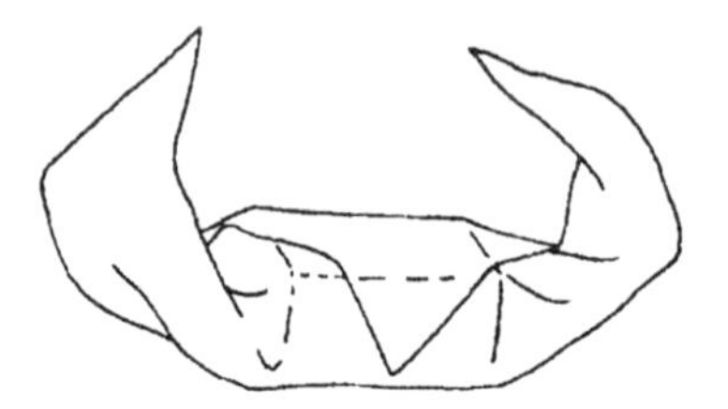

5. Tome los extremos 2 y 4 y átelos con un nudo cruzando el extremo 2 por sobre y por debajo del extremo 4 y tirando de ambos extremos para ceñir el nudo.

HISTORIA DE UN FABRICANTE DE JABÓN

Sandy Maine / SunFeather Herbal Soap Company

En 1979 Sandy Maine se encontraba trabajando como guía en Adirondack Wilderness, cuando decidió tomar una segunda ocupación que completara su horario irregular. Fue entonces cuando una mañana se le ocurrió la idea de crear SunFeather Herbal Company. "Fui a ver a mi abuela, cuyas historias sobre la elaboración de jabón siempre me han intrigado", dice Sandy. "La abuela y yo llevamos a cabo una investigación de todo un día: de la cocina de Ola Nielsen, hasta la de Helen Sorenson y luego al sótano de la señora de Jorgensen, en donde se había descubierto un pan del Jabón de la Abuela de cuarenta años."

Sandy pasó los siguientes seis meses en busca de la receta perfecta para elaborar jabón. "Bibliotecas, librerías, librerías de libros antiguos del Peabody en Baltimore hasta el Smithoniano, ... no quedó piedra sin mover." Entonces tropezó con el libro titulado *Soap: Making It, Enjoying It* (*Jabón: Elaborarlo, disfrutarlo*), de Ann Bramson y se lo leyó de una punta a la otra sin interrupción. Esa noche Sandy elaboró su lote de prueba número veinte. "Al día siguiente me encontré con un jabón perfecto sobre la mesada de la cocina de mi casa de campo," dice Sandy.

Los siguientes cinco años los dedicó a construir la compañía. A medida que Sun Feather crecía con mayor intensidad de trabajo, Sandy pensaba en la forma de conseguir equipamiento que le ahorrara trabajo. Sandy, junto con su ingenioso esposo y sus amigos, diseñaron moldes plegables, grandes rejillas de secado, máquinas hidráulicas de fraccionamiento manual y bandas de volcado. Cuando Sandy comenzó en 1979, no sabía de la existencia de ningún otro fabricante de jabón. Los recursos escaseaban: el crear Sun Feather fue en realidad un esfuerzo de pioneros.

Hoy en día SunFeather opera en un espacio de aproximadamente 5.000 pies cuadrados de superficie en un bar reciclado. "Sun Feather ha evolucionado partiendo de una persona hasta llegar a una familia de dieciséis mujeres que llevaba a cabo trabajos diferentes, pero aun así complementarios," dice Sandy. "Las mujeres que trabajan en *The Soap Shop* ("La casa del jabón") describen su trabajo como un sentimiento familiar".

Los productos de Sun Feather reflejan la filosofía de Sandy que siempre ha compartido con otros fabricantes de jabones que recién se inician. "Siempre he intentado alentar a las personas para que trabajen por su objetivo, ¡pero, por favor, háganlo a su manera!" El enfoque exclusivo de Sun Feather incluye la donación de una parte de cada venta de determinados jabones para ayudar a diferentes organizaciones dedicadas al medio ambiente y a la paz.

Sun Feather elabora lotes de 45 kg de jabón a partir de aceite de oliva, de coco, aceite de palma y de ricino, y tanto de aceites esenciales como de los perfumados. El color natural está dado por arcillas, algas marinas, hierbas desecadas, granos, frutas y raíces y especias en polvo.

También tienen a la venta equipos de elaboración de jabón para principiantes y distribuyen materias primas (grasas, aceites, aceites esenciales y perfumados, hidróxido de sodio, polvo de arcilla francesa, polvo de raíz de consuelda) y equipamiento (termómetros, libros sobre la elaboración del jabón y moldes). Sandy les sugiere a los fabricantes de jabones que utilicen balanzas y termómetros bien calibrados y que presten mucha atención a los detalles.

Sandy disfruta viendo su industria de origen rural dar sus frutos y alienta a todos los nuevos fabricantes de jabones a que sean creativos y autónomos en vez de simplemente reproducir las creaciones de otros. "Por suerte, el jabón es un producto de primera necesidad y existe un mercado muy amplio en donde desarrollarse", dice Sandy, quien se encuentra finalizando un libro titulado *The Soap Book* (*El libro del jabón*) y también está diseñando un video acerca de la elaboración del jabón. Sin lugar a dudas ambos trabajos servirán para educar e inspirar.

CAPÍTULO 13
La química de la elaboración de jabones

La química nos puede llegar a intimidar. No obstante, es posible que un lego en la materia aprenda lo suficiente sobre química para poder elaborar un mejor jabón sin llegar a ser un experto ¡y sin aburrirse!

Luego de leer este capítulo, tendrá:

- Un sentido bastante amplio de la ecuación química básica relacionada con la elaboración del jabón.

- Un conocimiento general de la forma de utilizar determinadas tablas y cuadros científicos que le ayudarán a predecir las características dadas por varias grasas y aceites al jabón

- Un conocimiento general de la forma de utilizar la Tabla de índices de saponificación, que le ayudará a determinar la cantidad aproximada de hidróxido de sodio que necesita para una fórmula determinada. No tiene por qué entender de química para poder elaborar un jabón, pero el conocimiento es útil y hasta puede resultar divertido

LA REACCIÓN QUÍMICA BÁSICA

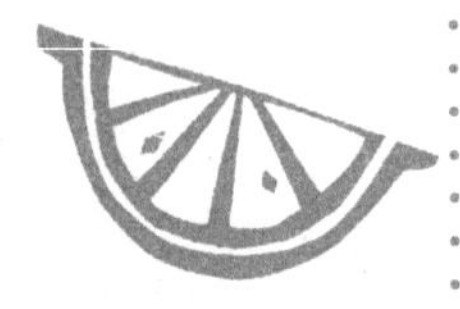

El proceso de elaboración del jabón es simplemente la combinación de un ácido y de un básico para formar una sal. Un elemento ácido se combina con un elemento alcalino para formar otro elemento neutro: en este caso, un suave pan de jabón. En la elaboración del jabón, los aceites y las grasas constituyen los ácidos; el hidróxido de sodio es la base, también conocido como un álcali; y el jabón es la sal de los ácidos utilizados en particular.

Primeramente considere la composición química de las grasas y de los aceites. Para aquella persona que elabora jabón en frío, cada grasa o aceite representa una combinación diferente de triglicéridos, que son aquellos compuestos formados de tres de los llamados ácidos grasos, unidos a una molécula de glicerol. Un ácido graso está formado por una combinación diferente de átomos de carbono, hidrógeno y oxígeno. Por ejemplo, el ácido oleico es un ácido graso que está formado por 18 átomos de carbono, 34 de hidrógeno y 2 de oxígeno. Con mayor frecuencia, los triglicéridos contienen dos o tres ácidos grasos diferentes en vez de tres del mismo tipo.

Luego considere la composición química de la base. Para aquella persona que elabora jabón en frío, la base común es el hidróxido de sodio.

El hidróxido de sodio es una combinación de un ion de sodio y un ion de hidróxido. El ion de hidróxido está formado por un átomo de oxígeno y un átomo de hidrógeno. Es el ion de hidróxido y no el de sodio el que cumple el papel más importante en la elaboración de jabón. Podrían utilizarse otras bases en vez de hidróxido de sodio, porque, nuevamente, es el ion de hidróxido el que reacciona con el ácido para formar jabón.

Revolver la mezcla es fundamental y afecta en forma directa el tiempo requerido para la saponificación. Aunque es posible tomarse un descanso momentáneo al revolver, si se revuelve con energía y en forma constante, se permitirá que los libres de ácidos grasos continúen reaccionando con el álcali libre. Sin este contacto casi constante con los ingredientes reactivos, el proceso se retrasa.

Cuando las grasas y los aceites reaccionan con el hidróxido de sodio, lo que ocurre en realidad es que los triglicéridos se encuentran liberando glicerina, permitiendo que los ácidos grasos (también conocidos como libre de ácidos grasos) se combinen con los iones de hidróxido para formar jabón.

Nótese que en la elaboración en frío, se libera el glicerol unido al ácido graso y permanece en el jabón en forma de glicerina. La glicerina es un maravilloso aditivo que humecta la piel. Los fabricantes industriales retiran esta glicerina y la venden como un producto derivado o bien elaboran jabón con libre de ácidos grasos (sin glicerina) en vez de utilizar triglicéridos (que incluyen la glicerina). Esta es sólo una de las razones por las que el jabón artesanal puede ser mucho más fino.

UTILIZACIÓN DE TABLAS CIENTÍFICAS PARA MEZCLAR GRASAS Y ACEITES

Las mejores características que buscamos en un jabón, es decir la dureza del pan de jabón, lo espeso y la estabilidad de la espuma, dependen de los ácidos grasos que contienen. Cada una de las grasas y aceites constituyen una combinación única de varios ácidos grasos diferentes. Las características incorporadas por una grasa o un aceite en particular están determinadas por las características de su/s ácido/s graso/s predominante/s. Por ejemplo, el aceite de palma está compuesto por un 40,1 por ciento de ácido palmítico, un ácido graso que aumenta la dureza del jabón. Es por esto que el aceite de palma es conocido por su aporte de firmeza al jabón. Una vez que se conoce la composición del ácido graso en las grasas o los aceites de una determinada fórmula, se pueden determinar qué características tendrá el jabón. Las siguientes tablas lo asistirán en este proceso.

De la forma en que lo indican estas tablas, ninguna de las grasas o aceites poseen todas las características que los fabricantes desean que sus jabones contengan. Por ello, los fabricantes deben combinar diferentes grasas y aceites para producir el resultado deseado. Es aquí en donde se prueba la habilidad del fabricante. La combinación de grasas y aceites también afecta la cantidad de hidróxido de sodio necesario para completar debidamente la reacción, así como se lo demuestra en las páginas siguientes.

GRASA O ACEITE	ÁCIDO GRASO (en porcentajes)
Aceite de *babaçú*	Ácido láurico: 44,1 / ácido oleico: 16,1 / ácido mirístico: 15,4 / ácido palmítico: 8,5 / ácido cáprico: 6,6 / ácido caprílico: 4,8 / ácido esteárico: 2,7 / ácido linoleico: 1,4 / ácido arachídico: 0,2 / ácido caproico: 0,2
Aceite de ricino	Ácido rinoleico: 87 / ácido oleico: 7,4 / ácido linoleico: 3,1 / ácido láurico, mirístico, palmítico y esteárico: 2,4
Aceite de coco	Ácido láurico: 45,4 / ácido mirístico: 18,0 / ácido palmítico: 10,5 / ácido cáprico: 8,4 / ácido oleico: 7,5 / ácido caprílico: 5,4 / ácido esteárico: 2,3 / ácido caproico: 0,8 / ácido arachídico: 0,4 / ácido palmitoleico: 0,4 / ácido linoleico (ápice)
Aceite de oliva	Ácido oleico: 84,4 / ácido palmítico: 6,9 / ácido linoleico: 4,6 / ácido esteárico: 2,3 / ácido arachídico: 0,1 / ácido mirístico (ápice)
Aceite de palma	Ácido oleico: 42,7 / ácido palmítico: 40,1 / ácido linoleico: 10,3 / ácido esteárico: 5,5 / ácido mirístico: 1,4
Aceite de soja	Ácido linoleico: 50,7 / ácido oleico: 28,9 / ácido palmítico: 9,8 / ácido linoleico: 6,5 / ácido esteárico: 2,4 / ácido arachídico: 0,9 / ácido palmitoleico: 0,4 / ácido láurico: 0,2 / ácido mirístico: 0,1 / C_{14} monoetenoico: 0,1
Sebo vacuno	Ácido oleico: 49,6 / ácido palmítico: 27,4 / ácido esteárico: 14,1 / ácido mirístico: 6,3 / ácido linoleico: 2,5

CARACTERÍSTICAS PROPORCIONADAS AL JABÓN POR LOS DIFERENTES ÁCIDOS GRASOS

Ácido graso	Dureza del jabón	Poder limpiador	Espuma espesa	Propiedades acondicionadoras	Perdurabilidad de la espuma
Ácido láurico	X	X	X		
Ácido palmítico	X				X
Ácido esteárico	X				X
Ácido ricinoleico			X	X	X
Ácido oleico		X		X	
Ácido linoleico		X		X	

PESOS MOLECULARES DE LOS ÁCIDOS GRASOS

Si se conoce el peso molecular del ácido graso del jabón, por lo general se podrá predecir la capacidad de producción de espuma. En general, a mayor peso molecular del ácido graso, se obtiene una espuma menos espesa y menos durable.

Por ejemplo, el sebo vacuno produce poca espuma. Está formado por un 24,6 por ciento de ácido palmítico y un 30,5 por ciento de ácido esteárico, que poseen un peso molecular alto de 256 y 284 respectivamente.

Asimismo, la tabla de pesos moleculares lo puede ayudar a predecir las características de su jabón. En general, a medida que aumenta el peso molecular, disminuye el poder limpiador del ácido graso, disminuye la capacidad potencial de causar irritación en la piel y aumenta su dureza. Del mismo modo, a mayor peso molecular le corresponde un índice de saponificación menor. Más adelante trataremos acerca de la importancia de esto último.

Ácido graso	Fórmula	Peso molecular
Ácido butírico	$C_4H_8O_2$	88
Ácido cáprico	$C_{10}H_{20}O_2$	172
Ácido caproico	$C_6H_{12}O_2$	116
Ácido láurico	$C_{12}H_{24}O_2$	200
Ácido linoleico	$C_{18}H_{32}O_2$	280
Ácido mirístico	$C_{14}H_{28}O_2$	228
Ácido oleico	$C_{18}H_{34}O_2$	282
Ácido palmítico	$C_{16}H_{32}O_2$	256
Ácido ricinoleico	$C_{18}H_{34}O_3$	298
Ácido esteárico	$C_{18}H_{36}O_2$	284

ÍNDICE DE YODO DE LAS GRASAS Y ACEITES

El índice de yodo representa la saturación de los aceites y de las grasas. Para ser más específica, indica la cantidad de cloruro de yodo que la grasa o el aceite puede disolver, expresada en centigramos de yodo solubles por gramo de aceite o grasa. Las grasas saturadas poseen índices de yodo bajos, y a los aceites no saturados les corresponden índices de yodo altos. Aunque hay excepciones, las grasas con bajo índice de yodo producen los jabones más duros. Por lo tanto, por ejemplo, el aceite de palma produce un jabón duro y el aceite de oliva uno más blando.

Grasa o aceite	Índice de yodo (cantidad disuelta en centigramos / gramo de aceite)
Sebo vacuno	49,5
Aceite de lardo	58,6
Aceite de *babaçú*	15,5
Aceite de ricino	85,5
Aceite de coco	10,4
Aceite de oliva	81,1
Aceite de palma	54,2
Aceite de palmiste	37,0
Aceite de soja	130
Aceite de maní	93,4
Aceite de germen de trigo	125
Aceite de jojoba	85
Aceite de almendra dulce	105
Aceite de semilla de kukui	165
Aceite de pepita de damasco	102,5
Aceite de palta	80

FORMA DE CALCULAR LA CANTIDAD DE HIDRÓXIDO DE SODIO

Cada grasa y cada aceite posee un índice de saponificación determinado al que se le hace referencia como "índice de saponificación" o "índice SAP". El índice de saponificación es en realidad una escala numérica, pero el promedio de esas cifras se encuentra por lo general representada en una tabla. El índice de saponificación de un aceite o de una grasa establece la cantidad de hidróxido de potasio, cuyo símbolo químico es KOH, expresada en miligramos requerida para saponificar, es decir para producir una reacción y formar jabón, un gramo de ese aceite o grasa. Por ello, el índice de saponificación dividido por 1.000 y multiplicado por el peso del aceite representa el peso de hidróxido de potasio necesario para la saponificación. Por ejemplo, el índice de saponificación del aceite de oliva es de 189,7; lo que significa que se necesitan 189,7 miligramos de KOH para completar el proceso de saponificación de un gramo (1.000 miligramos) de aceite de oliva. A mayor índice de saponificación, mayor es la cantidad de base que se necesita para la saponificación.

TABLA DE ÍNDICES DE SAPONIFICACIÓN PARA LAS GRASAS Y ACEITES MÁS COMUNES

Grasa o aceite	**Índice de saponificación**
Sebo vacuno	197
Aceite de lardo	194,6
Aceite de *babaçú*	247
Aceite de ricino*	180,3
Aceite de coco	268
Aceite de oliva	189,7
Aceite de palma	199,1
Aceite de palmiste	219,9
Aceite de maní	192,1
Aceite de soja	190,6
Aceite de germen de trigo	185
Aceite de jojoba	97,5
Aceite de almendra dulce	192,5
Aceite de semilla de kukui	190
Aceite de palta	187,5
Aceite de pepita de damasco	190
Manteca de galam (manteca karite africana)	180

* *Dado su mayor peso molecular, el aceite de ricino posee un índice de saponificación menor y, en teoría, necesita una menor cantidad de hidróxido de sodio para saponificarse. Pero el aceite de ricino, junto con su alto contenido de ácido ricinoleico, tiene sus propias reglas. El ácido ricinoleico posee una configuración molecular fuera de lo común, llevando el aceite de ricino a uniones adicionales dentro del jabón. Se necesita de una mayor cantidad de hidróxido de sodio para acomodar esa cantidad de trabajo extra. Cuando una fórmula requiere más del 15 por ciento de aceite de ricino, utilice una reducción del 5 por ciento, en vez de una reducción del 15,5 por ciento (ver recuadro).*

A partir del índice de saponificación se puede determinar asimismo la cantidad de hidróxido de sodio (NaOH) que se necesita para la saponificación, con un poco de simple aritmética y un conocimiento básico de la química utilizada en el proceso de elaboración del jabón. La cantidad de iones de hidróxido en la solución afectan la saponificación. Una molécula de hidróxido de sodio (NaOH) posee la misma cantidad de iones de hidróxido (uno) que una molécula de hidróxido de potasio (KOH), dado que el KOH es más pesado que el NaOH y la saponificación requiere menos cantidad (por peso) de NaOH. Para ser más precisos, porque el peso molecular del NaOH es 40 y el peso molecular del KOH es 56,1, el peso requerido para el NaOH es $^{40}/_{56,1}$ del peso requerido de KOH.

El peso de NaOH necesario es igual a $^{40}/_{56,1}$ multiplicado por el peso de KOH necesario.

Corrección en los cálculos para producir un jabón supergraso

Hasta ahora la ciencia y la matemática han resultado exactas para nuestra tranquilidad. Desafortunadamente existe una complicación adicional que introduce un poco de inseguridad. La fórmula arriba mencionada indica la cantidad de hidróxido de sodio necesaria para completar el proceso de saponificación de un aceite. No obstante, el fabricante no desea saponificar por completo las grasas y los aceites: una porción de grasas y aceites deberán permanecer sin saponificar. Esto es lo que hace que el jabón resulte más suave, menos cáustico y más completo.

La capa de la piel es un tanto acidogénica, entre 4,00 y 6,75 en la escala del pH, siendo 7 el valor del pH neutro. Aunque la piel puede tolerar una amplia gama de pHs, incluyendo algunos valores alcalinos, demasiada cantidad de hidróxido de sodio puede resultar dañino. Utilizando menos cantidad de hidróxido de sodio que lo que sugiere el índice de saponificación y una mayor cantidad de aceites y nutrientes, el jabón contendrá una porción de aceite no saponificado, lo que lo transformará en un jabón suave y humectante. Vuelva a la página 131 para más detalles acerca de los valores del pH.

La pregunta es la siguiente: ¿Cuánto menos hidróxido de sodio se debe utilizar? Es decir que luego de aplicar la fórmula de la página 154 y determinar una cantidad exacta de hidróxido de sodio para poder completar el proceso de saponificación, ¿en qué medida se puede reducir la cantidad exacta? No puedo darle una respuesta clara acerca de este punto. He buscado una reducción que pudiera aplicar en forma constante pero no puede hallarla. He trabajado con reducciones que van del 7 al 20 por ciento. Cuanto mayor es la reducción, se utiliza menos base, lo que da como resultado un jabón más suave, que también se tornará rancio con mayor rapidez. Cuando llevo a cabo mis cálculos para una nueva fórmula, por lo general comienzo con una reducción del 15,5 por ciento; lo que me proporciona una buena aproximación a la cantidad de hidróxido de sodio necesaria, pero usted aún deberá seguir experimentando.

CANTIDAD NECESARIA DE HIDRÓXIDO DE SODIO (NAOH)

Supongamos que usted desea saponificar 4,5 kg de aceite de oliva. Para saber qué cantidad de hidróxido de sodio necesita, comience buscando el índice de saponificación.

Dado que el índice de saponificación del aceite de oliva es 189,7, es decir que se requieren 189,7 miligramos de KOH por cada 1.000 miligramos de aceite de oliva, multiplique 4,5 kg de aceite de oliva por 0,1897, y así obtendrá la cantidad de hidróxido de potasio necesaria 855g.

El siguiente paso consta de multiplicar la cantidad de KOH necesaria por la fracción $^{40}/_{561}$ para determinar la cantidad de hidróxido de sodio necesaria 600g.

Para finalizar, multiplique la cantidad de hidróxido de sodio necesaria para completar el proceso de saponificación por 84,5 por ciento, o la reducción que más le satisfaga, para producir un jabón supergraso.

Trabajar con una combinación de aceites

Los primeros cálculos del índice de saponificación estaban dirigidos a la saponificación de un solo aceite. Pero el fabricante de jabón nunca utilizará una sola grasa o un solo aceite: usted siempre combinará grasas y aceites para lograr el efecto que desee. Para determinar la cantidad de base que debe utilizar en la fórmula de un jabón que contenga varias grasas y aceites, debe calcular el índice de saponificación de toda la mezcla de grasas y aceites. Puede calcularse un simple promedio de peso de la siguiente manera.

Supongamos que la persona que elaborará un jabón desea combinar 2,25 kg de aceite de oliva, 1,350 kg de aceite de coco y 900 g de aceite de palma. ¿Cuánto hidróxido de sodio debería utilizar? A continuación se detallan los pasos a seguir para poder calcular esta cantidad:

1. Determine el índice de saponificación de la mezcla de los aceites. Utilizando la tabla de índices de saponificación y el porcentaje por peso que cada aceite aporta al total de la mezcla, calcule el índice de saponificación combinado.

$$0{,}5\ (189{,}7) + 0{,}3\ (268) + 0{,}2\ (199{,}1) = 215$$

2. Multiplique el peso total de los aceites por el índice de saponificación combinado para determinar la cantidad de hidróxido de sodio que necesita.

4,5 kg por 0,215 (215 dividido por 1.000) = 970g

3. Multiplique 970g (la cantidad necesaria de hidróxido de potasio) por la fracción $^{40}/_{56,1}$ para poder determinar los gramos de hidróxido de sodio necesarios para completar el proceso de saponificación.

970 g x $^{40}/_{56,1}$ = 690 g (de hidróxido de sodio)

4. Multiplique el resultado obtenido en el paso 3 por 84,5 por ciento (que refleja la reducción que por lo general aplico con el objeto de dejar una porción de grasas y aceites sin saponificar) para encontrar la respuesta final y así conocer la cantidad de hidróxido de sodio necesaria.

690 g x 84,5% = 580g

Nuevamente recuerde que esta reducción del 15,5 por ciento significa que existe un exceso de grasa en el jabón, cuya abundancia ocasiona ranciedad. Si se le presenta este problema, recién lo notará después de transcurridos de seis a doce meses. Afortunadamente existe una solución. Si se agregan conservantes, teniendo en cuenta que se consigan conservantes naturales, se podrá posponer el estado de ranciedad.

GLOSARIO

GLOSARIO
El lenguaje del jabón

Aceite esencial puro: Se denomina de esta forma el aceite volátil altamente concentrado que se obtiene de las plantas que contienen la esencia y las propiedades benéficas de determinada planta. Son volátiles porque se evaporan con rapidez a temperatura ambiente si se los expone al aire. Tenga en cuenta que existen imitaciones artificiales que no ofrecen las mismas propiedades beneficiosas y que actúan con menos estabilidad a través del proceso de elaboración del jabón.

Aceite esencial: ver "Aceite esencial puro"

Aceite para perfumar: Se trata de una imitación artificial de un aceite esencial puro. Los aceites para perfumar no ofrecen las propiedades naturales que se encuentran en los aceites esenciales puros, y por lo general interfieren en el proceso de saponificación.

Aceite: Compuesto primario no saturado (aunque no siempre) del carbono, del hidrógeno y del oxígeno, que se une con el glicerol en forma de glicéridos y que se obtiene de plantas y animales. Los aceites en su mayoría se presentan en estado líquido a temperatura ambiente.

Ácido graso esencial: Los pocos ácidos grasos que se destacan de los otros por ser en especial efectivos, son denominados ácidos grasos esenciales. Los ácidos linoleico, linolénico y araquidónico (también conocido como vitamina F) son ácidos grasos esenciales, es decir aquellos ácidos grasos no saturados, no producidos por el cuerpo, pero proporcionados por dietas y productos para el cuidado de la piel, que inhiben el crecimiento de determinadas bacterias y protegen la piel de infecciones. También poseen propiedades humectantes. Los ácidos grasos esenciales intervienen en la coagulación de la sangre, en el transporte de oxígeno a través del torrente sanguíneo a las células, tejidos y órganos, lubricación y unión de células entre sí, y la disponibilidad de determinadas vitaminas y minerales del cuerpo. Entre los aceites que proporcionan ácidos grasos esenciales se encuentran: el aceite de girasol, de rosa mosqueta, de semilla de kukui y el de germen de trigo.

Ácido graso: Compuesto orgánico saturado y no saturado de carbono, oxígeno e hidrógeno, presente en las grasas y aceites animales y vegetales, que aparece naturalmente en forma de glicérido o compuesto de glicerol y ácidos grasos, o lo que se denomina aceite neutro. Los ácidos grasos pueden aislarse de los glicéridos a través de un proceso llamado hidrólisis. No debe interpretarse como un ácido que produce quemaduras sino más bien como un ácido suave y emoliente. Los ácidos grasos son excelentes emolientes.

Adulterar: Tornar impuro a través del agregado de una sustancia de calidad inferior.

Álcali: Sustancia cuyo pH es mayor que 7. El hidróxido de sodio es un ejemplo de álcali (o de una base) que se utiliza para neutralizar un ácido en la elaboración del jabón.

Alergeno: Sustancia que produce una reacción alérgica en una persona susceptible a dichas reacciones pero que puede resultar innocua en otras.

Alquitrán de hulla: Alquitrán obtenido a través de la destilación de carbón bituminoso o blando, que se utiliza para la fabricación de tinturas y medicamentos. Muchos fabricantes de jabón utilizan estos colorantes artificiales para dar color a los jabones, aunque existen informes que relacionan las tinturas de alquitrán de hulla con el cáncer en animales y reacciones alérgicas en seres humanos. Intente evitarlos.

Antibacteriano: Si una sustancia es antibacteriana, significa que combate las bacterias en forma eficaz.

Antioxidante: El proceso de oxidación se lleva a cabo dentro de las grasas y los aceites a medida que las moléculas de oxígeno libres se desplazan y unen con otras moléculas formando compuestos inestables. Un antioxidante es una sustancia que no le permite al oxígeno reaccionar con otras moléculas para formar compuestos inestables. Con relación a la elaboración del jabón, los antioxidantes inhiben la ranciedad y la descomposición de grasas y aceites.

Antiséptico: Sustancia que se encarga de retardar el crecimiento de microorganismos en el tejido orgánico. Los siguientes aceites esenciales puros ofrecen algunas propiedades antisépticas: aceite de casia, romero, tomillo, sándalo y el aceite de menta.

Arcilla: Mezcla de minerales naturales que se utilizan en máscaras faciales con el objeto de eliminar impurezas y exceso de secreción sebácea.

Aromaterapia: Es el arte de utilizar los aceites esenciales puros de las plantas por sus efectos terapéuticos tanto físicos como emocionales.

Artificial o sintético: Sustancia elaborada o alterada en forma no natural.

Astringente: Sustancia elaborada en su mayor parte por hamamelis (componente natural) o isopropil alcohol (componente artificial), cuya función es eliminar la capa formada por restos de jabón y piel inerte. Se cree que contrae el tejido y cierra los poros. Inclínese por las soluciones con hamamelis y utilícelo con moderación para evitar el resecamiento.

Bacteriostático: Sustancia que inhibe el crecimiento de bacterias sin destruirlas.

Base: Álcali utilizado en la elaboración del jabón, que reacciona con las grasas y los aceites para formar jabón. El hidróxido de sodio es la base utilizada con mayor frecuencia en el proceso de elaboración en frío.

Cancerígeno: Sustancia que causa algunas de las formas del cáncer.

Carbonato de sodio: Residuo en forma de polvo gris blanquecino que se forma sobre la superficie de los jabones una vez que se los expone a la intemperie. El hidróxido de sodio reacciona con el agua o con el aire para formar este compuesto, que no resulta tan perjudicial como el hidróxido de sodio, pero que reseca la piel. Se debe hacer un corte de1 mm en cada jabón para retirar esta sustancia.

Clorofila. Materia de color verdoso que se encuentra en los cloroplastos de las plantas. La clorofila contribuye con sus propiedades antisépticas y fungicidas en la elaboración del jabón. Asimismo, es utilizada como colorante natural dando un tinte verde pálido.

Colorante: Tal vez no sea la palabra correcta pero sí el término adoptado a través del uso para denotar una sustancia que se utiliza para teñir los jabones en forma natural o artificial. Entre los colorantes no artificiales se encuentran la clorofila, la canela, la cúrcuma, el aceite de germen de trigo y el extracto de hierbas obtenido por cocción.

Conservante: Sustancia que se utiliza para retardar el crecimiento de bacterias, así como la descomposición. Deben buscarse conservantes naturales para lograr que el producto perdure por un año. No obstante, deben evitarse los conservantes artificiales que pueden ofrecer varios años de conservación pero que modifican el producto puro adulterándolo.

Decocción: Extracto obtenido cubriendo raíces y cortezas con agua y haciéndolas hervir hasta obtener una concentración fuerte. Este proceso es utilizado con frecuencia por la medicina. Los fabricantes de jabón utilizan la decocción para dar color a los jabones en forma segura. Se obtienen tonos pálidos terrestres en vez de colores brillantes como los artificiales.

Emoliente: Sustancia esparcida sobre la piel para retener la humedad y mantener al mínimo la pérdida de agua. Tanto la glicerina como los aceites de origen vegetal son emolientes naturales; el aceite de origen mineral siempre ha sido apreciado como un emoliente natural costoso, pero existe cierta reserva respecto de su base porque contiene derivados livianos del petróleo, y por lo tanto puede resecar la piel con el transcurso del tiempo.

Emulsión: Mezcla de dos sustancias incompatibles con un tercer componente (el emulsionante) que ayuda a mantener los tres elementos en una sola unidad. El jabón es un emulsionante porque mantiene la suciedad y el aceite en suspensión en el agua. El agua y el aceite son incompatibles y el jabón los mantiene unidos; el jabón elimina la suciedad y los aceites de la piel y los mantiene en el agua hasta que el enjuague retira toda la unidad.

Estabilización: A medida que la mezcla jabonosa pasa de estado líquido al sólido, el jabón se "estabiliza". Este proceso debe llevarse a cabo en las matrices y no en la cuba de elaboración. En forma ocasional, un aceite artificial para perfumar o determinados aceites esenciales puros pueden llegar a provocar que el jabón se estabilice o espese en la cuba de elaboración dificultando bastante el verter el jabón en los moldes.

Estacionamiento: Proceso por el cual el jabón experimenta de cuatro a ocho semanas una reacción que reduce la alcalinidad de los panes, dejándolos a su vez más suaves en forma progresiva. La saponificación, es decir la reacción propia de la elaboración del jabón, no finaliza una vez que el jabón en estado líquido se vierte en el molde. A medida que el jabón se va estacionando, van incorporando la cantidad restante de hidróxido de sodio transformándose en un jabón suave.

Extracción: Proceso por el cual se calienta la grasa vacuna con agua y sal produciendo eventualmente un sebo puro que se cuela, se enfría y al que finalmente se le retiran las impurezas.

Extracto de semilla de pomelo: Este material extraído de las semillas del pomelo es utilizado como conservante natural en los jabones. Debe agregarse en la etapa del aceite del proceso de elaboración porque precipita en la solución de lejía.

Extracto: Por lo general se trata de una forma concentrada de materia vegetal. No se libera por completo determinada materia vegetal solamente a través del prensado en frío. Es preferible extraer esta materia vegetal cuando se la pasa a través de un solvente que puede ser orgánico o sintético. De acuerdo con la forma en que se desee obtener el producto final, en polvo, líquida soluble en agua o líquida soluble en aceite, se retiran algunos solventes luego de la expresión y algunos se los deja como parte del extracto vegetal. Siempre deben tratar de conseguirse extractos solubles en aceite sin componente artificiales.

Fotosensibilizadores: Sustancias que sensibilizan la piel y producen una reacción a la energía solar, en particular a la luz.

Glicérido: Compuesto de alcohol y un ácido. Los aceites neutros contienen glicéridos de glicerol (el alcohol) y una variedad de ácidos grasos (el ácido). Cuando las tres moléculas de ácido graso se unen con una molécula de glicerol, se conoce esta combinación con el nombre de triglicérido.

Glicerina: Alcohol de textura almibarada derivado de aceites vegetales y que se libera de los glicéridos durante el proceso de elaboración del jabón. Aunque con frecuencia es separado como un producto derivado de la industria del jabón, los jabones procesados en frío retienen esta glicerina natural y se benefician con sus propiedades emolientes y humectantes. También se conoce a la glicerina como glicerol.

Grasa: Compuesto primario saturado (aunque no siempre) del carbono, del hidrógeno y del oxígeno, que se une con el glicerol en forma de glicéridos y que se obtiene de animales y plantas. Por lo general, aunque no siempre, se encuentra en estado sólido a temperatura ambiente y ofrece propiedades emolientes.

Hidrocarburo: Compuesto químico que contiene solamente átomos de carbono y de hidrógeno. Los productos derivados del petróleo son llamados hidrocarburos. Existe mucha controversia respecto de este grupo de materiales: algunos químicos consideran que los productos derivados del petróleo son naturales, porque provienen de la tierra y en algún momento fueron vegetales; opiniones opuestas destacan que su estado es alterado una vez que se agregan productos artificiales para refinarlos y así poder ser aprovechados para uso personal. Estos productos pueden ser alergénicos y fototóxicos.

Hidrogenación: Proceso por el cual se agrega hidrógeno a las uniones dobles de aceites no saturados con el fin de solidificarlos y hacer de ellos elementos más estables respecto de la oxidación y la ranciedad. Advertencia: todo provecho debe compararse con la pérdida de ácidos grasos esenciales que son destruidos durante el proceso de hidrogenación.

Hidróxido de potasio: Base cáustica fuerte, conocida como lejía. El hidróxido de potasio, o potasa cáustica, es el álcali que se utilizó con mayor frecuencia a través de la historia para elaborar jabón. El agua que bajaba por sobre las cenizas de los bosques produce este producto químico que reacciona con grasas o aceites para formar jabones líquidos y blandos.

Hidróxido de sodio: Base cáustica fuerte, también conocida como lejía o soda cáustica. Este producto químico, altamente alcalino, se combina con grasas o aceites para producir jabones duros.

Humectante: Sustancia que atrae y retiene la humedad de la piel; por ejemplo, una capa fina de glicerina o de aloe vera extrae la humedad del aire y así suaviza la piel.

Índice de saponificación: Determina la cantidad de hidróxido de potasio (en miligramos) necesaria para saponificar un gramo de una grasa o un aceite en particular. También se lo conoce como índice SAP.

Insaponificable: Porción de un aceite neutro (incluyendo esteroles y alcoholes grasos) que no participa en la reacción que se lleva a cabo durante el proceso de elaboración del jabón, sino que retiene su composición original aun en el producto final.

Jabón de Castilla: Jabón cuyo nombre se debe a la región española homónima, lugar en donde se elaboró por primera vez este tipo de jabón. Lo que en un momento fuera un jabón de puro aceite de oliva, hoy en día es un jabón elaborado combinando oliva y sebo.

Jabón: Mezcla de sales de varios ácidos grasos a partir de un álcali que actúa sobre los ácidos grasos. Las grasas o los aceites se unen con un álcali formando jabón y libre de glicerina; el jabón resultante es un producto limpiador.

Lejía: Puede definirse este término como soda cáustica (como el hidróxido de sodio) o bien como la solución líquida producto de la disolución de trozos o láminas de NaOH (en este caso) en agua.

Libre de ácido graso: Son aquellos ácidos grasos que no se unen al glicerol en forma de triglicérido pero que existen en forma independiente en un estado "libre". Son menos estables que un triglicérido completo y contribuyen a la ranciedad.

Natural: Materia que no contiene productos químicos artificiales. Debe tenerse cuidado con los productos rotulados como "naturales" que contienen determinadas sustancias orgánicas, pero que también contienen aditivos o conservantes artificiales.

Nutriente: Ingrediente elegido por sus propiedades beneficiosas. En el proceso de elaboración del jabón, un nutriente es un material agregado a la fórmula por su capacidad de actuar sobre la piel en la forma deseada.

Orgánico: Si una sustancia es orgánica, tiene o tuvo en algún momento vida y no ha sido alterada con productos artificiales.

pH: Cuando el átomo de hidrógeno existe por sí solo, se trata de un ion de hidrógeno con carga positiva. El ion de oxhidrilo

(OH: un átomo de oxígeno unido con un átomo de hidrógeno) posee carga negativa, y el equilibrio de estos iones de hidrógeno y oxhidrilo presentes en la solución afectan la composición de dicha solución. Un desequilibrio da como resultado una solución acídica (más iones de hidrógeno) o alcalina (más iones de oxhidrilo). El pH es una escala utilizada para determinar la concentración de iones de hidrógeno de una sustancia.

Cuando el pH es 7, el equilibrio es el adecuado. Cuando hay más iones de hidrógeno de carga positiva, ese material es ácido y posee un pH de entre 1 y 7 de la escala. Cuando hay más cantidad de iones de oxhidrilo, se dice que la sustancia es alcalina o básica porque posee un pH de entre 7 y 14 de la escala.

Proceso en frío: Constituye el más simple de los métodos de elaboración de jabón; las grasas y los aceites reaccionan con la lejía y forman el jabón liberando glicerina sin la intervención de calor externo una vez que se han mezclado los ingredientes.

Ranciedad: Descomposición de una sustancia que desprende olor y altera su calidad.

Refinación: Proceso utilizado para eliminar las impurezas de una grasa o aceite. Los aceites de prensado en frío, es decir aquellos aceites que se liberan sin aplicárseles calor, contienen la menor cantidad de impurezas y no requieren de ninguna refinación: toda impureza que se encuentre en un aceite procesado en frío puede retirarse filtrándolo. El prensado adicional de la harina gruesa mientras se la calienta, libera más cantidad de aceite, pero este aceite por lo general contiene un porcentaje mayor de impurezas no glicéridas como los libres de ácidos grasos. Las impurezas no son materiales sucios o de calidad inferior, sino elementos en suspensión de la solución que son menos estables y más propensos a reaccionar porque se encuentran separados del aceite neutro. Éstos son los responsables de unirse con los elementos que no les corresponden, provocando la ranciedad del aceite y eventualmente de los jabones. Cuando se refina un aceite, se lo mezcla con una solución alcalina produciendo que la porción no glicérida reaccione con el álcali para formar el jabón. El jabón es retirado dejando atrás el aceite para que elimine cualquier exceso de álcali o jabón.

Sal: Compuestos que resultan de reemplazar una parte o todo el hidrógeno de un ácido por medio de un metal. En la elaboración del jabón, el hidróxido de sodio reemplaza el hidrógeno en los ácidos grasos (las grasas o los aceites) para formar una sal (o jabón) de esos ácidos grasos.

Saponificación: Paso de una grasa o aceite y un álcali a un jabón y glicerina.

Sebo: Grasa del tejido adiposo del ganado vacuno, lanar y caballar, que ha sido utilizada durante miles de años para elaborar jabón. No obstante, puede causar eczemas y espinillas.

Secreción sebácea: Sustancia grasosa secretada por las glándulas sebáceas de la piel. La secreción sebácea lubrica la piel. No obstante, sin la higiene adecuada el aceite se puede adherir y obstruir los poros creando un medio propicio para el crecimiento de bacterias, inflamaciones e infecciones.

Sinergismo: Se presenta cuando dos o más sustancias trabajan para crear un beneficio mayor que la suma de cada beneficio individual.

Supergraso: Un jabón supergraso es aquel que contiene aceites no saponificados dando como resultado un jabón más emoliente. Estos aceite no saponificados no forman compuestos con otros elementos presentes en la elaboración pero permanecen en su forma original dentro de los jabones. Los jabones supergrasos son más propensos a tornarse rancios pero valen la pena aunque su duración sea menor.

Surfactante o tensioactivo: Sustancia que reduce la tensión superficial, es decir las uniones moleculares estrechas. Por ejemplo, las moléculas de agua están estrechamente unidas y es por ello que se forman gotas sobre un tejido y no lo empapan para humedecerlo. Un surfactante, como el jabón, rompe esas uniones y permite que se separen y humedezcan la tela.

Tocoferol: Clasificación del grupo de vitamina E. Se trata de los compuestos solubles en grasa antioxidantes de la vitamina E que se utilizan para conservar el jabón. Deben buscarse tocoferoles naturales elaborados a partir de vegetales y evitarse las imitaciones artificiales. Nótese que los tocoferoles protegen los jabones a base de sebo y de lardo mucho mejor que los jabones vegetales.

Triglicéridos: Las grasas y los aceites presentes en la naturaleza casi siempre se encuentran en forma de triglicéridos. Se trata de diferentes distribuciones de ácidos grasos y glicol (una de las formas de glicerina): tres (tri) ácidos grasos unidos a una molécula de glicerol para formar un triglicérido, que por lo general contiene dos o tres ácidos grasos diferentes en vez de un sólo tipo de ácido graso.

Veganismo: Filosofía basada en la creencia de que los animales no deben ser matados ni tratados con crueldad, aun en beneficio de la humanidad. En la práctica, esto significa no consumir carne, pescado, miel ni productos lácteos, incluyendo la manteca, los huevos y la leche. Aquellas personas que practican el veganismo no visten prendas de lana, cuero ni piel por propia elección y no utilizan ningún producto cuya seguridad haya sido comprobada en animales.

ÍNDICE

0761-X

Participe de los sorteos mensuales para lectores de Editorial Albatros

Complete este cupón y envíelo a Hipólito Yrigoyen 3920 (1208) - Cap. Fed.

Apellido y nombre ....
Dirección ....
Provincia .... Localidad ....
C.P .... Tel. ....
Fecha de Nac. ..../......./............ Ocupación ....

1 - ¿Es el primer libro que adquiere de Editorial Albatros? ¿Qué otros posee?
....
....

2 - ¿Donde lo compró?

- ❑ librerías
- ❑ ferias
- ❑ supermercados
- ❑ círculos de lectores
- ❑ quioscos de diarios
- ❑ otros............................

3 - ¿Cómo llegó a él?

- ❑ publicidad
- ❑ comentarios en diarios o revistas
- ❑ regalo
- ❑ recomendación
- ❑ otros...........................

4- ¿Lee algún diario o revista regularmente?¿Cuál?.......................................
....
....

5- ¿En qué temas está especialmente interesado?

- ❑ manualidades
- ❑ Ecología
- ❑ jardinería
- ❑ Homeopatía
- ❑ arte
- ❑ animales
- ❑ gastronomía
- ❑ libros infantiles
- ❑ medicinas alternativas
- ❑ otros ....

6 - Sugerencias ....
....

Sólo válido para la República Argentina

Se terminó de imprimir en el mes de agosto de 1997
en los Talleres Gráficos Nuevo Offset
Viel 1444 - Capital Federal